# UN QUÉBEC IMPOSSIBLE

DU MÊME AUTEUR

*Nègres blancs d'Amérique*, Parti Pris, 1968.

*L'Urgence de choisir*, Parti Pris, 1971.

*L'Exécution de Pierre Laporte*, « Les dessous de l'Opération Essai ».
Éditions Québec-Amérique, 1977.

# pierre vallières

# UN QUÉBEC IMPOSSIBLE

ÉDITIONS QUÉBEC|AMÉRIQUE

**450 est, rue Sherbrooke, suite 801**
**Montréal H2L 1J8 (514) 288-2371**

ÉDITIONS QUÉBEC/AMÉRIQUE
© Copyright Ottawa 1977
Dépôt légal:   Bibliothèque nationale du Québec
               4e trimestre 1977
ISBN 0-88552-037-8

*À Michel et Simone Chartrand*

« Mieux vaut, après avoir calculé juste, manquer le but par malchance, qu'après avoir mal calculé l'atteindre par hasard. »

Épicure
*Lettre à Ménécée*

# Table des matières

**Introduction**

# LA PEUR DE FAIRE PEUR
# À CEUX QUI FONT PEUR

Quand furent annoncés le 15 novembre 1976 les résultats des élections qui venaient de se dérouler au Québec, la première réaction, chez plusieurs d'entre nous, était jubilante, voire euphorique. Enfin, le Québec bougeait. Enfin, la question de l'indépendance n'était plus posée en simples termes théoriques. Les «séparatistes» ne constituaient plus cette opposition irritante que le pouvoir central tour à tour ridiculisait et menaçait de représailles: ils formaient tout à coup le premier gouvernement indépendantiste de l'histoire du Québec.

Comme le goût du pouvoir, chez certains des nouveaux élus du Parti québécois, avait toujours été plus fort que leur besoin de changement social, une satisfaction arrogante n'y manqua pas alors de s'exprimer. (La modestie n'a jamais été la première vertu des Jacques Parizeau, Rodrigue Tremblay et Claude Morin, par exemple.) Dans l'ensemble toutefois, l'euphorie de la victoire électorale — que les dirigeants du P.Q. eux-mêmes n'avaient pas prévue — se traduisit par des célébrations spontanées et populaires de joie et d'espoir. Un mois plus tard, il ne restait plus rien de ces festivités.

Un mois plus tard, en effet, le nouveau gouvernement du Québec affichait ses priorités: *remettre de l'ordre* dans «la belle province», amener la classe ouvrière et le capital à *se concerter* — sous le parapluie de l'État paternaliste —, pour bâtir un «climat sain et productif», faire du Québec un pays français mais tran-

quille. Le premier ministre du Québec, M. René Lévesque, inventa pour la circonstance un nouveau slogan:
« l'indépendance tranquille ».

Pas question de brusquer les choses, de boulever-
ser les gens, de faire mal ou peur aux Canadiens
anglais et aux Américains... Le nouveau premier ministre se présenta comme le chef d'un gouvernement
« responsable », soucieux avant tout de réaliser la souveraineté du Québec sans révolution.

À l'avant-scène de la propagande gouvernementale,
René Lévesque plaça les ministres Jacques Parizeau
(Finances), Bernard Landry (Développement économique), Rodrigue Tremblay (Industrie et Commerce), Lise
Payette (Institutions financières et coopératives),
Claude Morin (Affaires intergouvernementales). Le
premier gouvernement indépendantiste de l'histoire du
Québec prit aussitôt les apparences d'un conseil d'administration de compagnie. Au traditionnel « Liberté,
Égalité, Fraternité », on substitua « Rationalité, Efficacité, Austérité ». Au mouvement de libération qui,
depuis 1960, agitait les esprits, on opposa « la nécessité
de la concertation ».

La démocratie « sociale » prônée par le Parti québécois prit soudain des airs de corporatisme vieillot.

Tout cela, pour rassurer les adversaires de la sécession du Québec (le Canada, les États-Unis, les milieux
d'affaires), au risque de démobiliser dramatiquement
ses alliés (la majorité francophone des usines et des
campagnes, les intellectuels, les syndicats).

Les premiers résultats de cette surprenante stratégie sont apparus rapidement: les adversaires de la sécession ne démordent pas et demeurent aussi résolus
qu'auparavant à l'empêcher par tous les moyens, y
compris l'intervention armée; tandis que les partisans

de l'indépendance se demandent si le contenu social que le gouvernement Lévesque entend lui donner mérite réellement qu'on y sacrifie ses énergies et son espoir.

Six mois après son arrivée au pouvoir, le gouvernement Lévesque se trouvait ainsi coincé et isolé entre, d'une part, des adversaires capables d'organiser sa chute plus facilement encore que celle qui emporta au Chili le gouvernement Allende, et d'autre part, des alliés inquiets que le désenchantement retient de l'appuyer trop ouvertement.

Le Parti québécois ne serait-il parvenu au pouvoir que pour faire la preuve que la libération du Québec est un projet irréalisable? Que l'intégration économique, sociale, politique et culturelle du continent nord-américain est un processus déjà en voie d'achèvement? Qu'il est trop tard, en 1977, pour revendiquer l'indépendance et pour choisir de vivre autrement?

Pourtant, l'élection du 15 novembre 1976 a révélé au Québec le besoin de changements radicaux. Ce n'est pas seulement pour remplacer une administration corrompue (celle du gouvernement Bourassa) par une administration «propre» que les électeurs indépendantistes ont accordé majoritairement leur appui au parti de René Lévesque, mais pour que se développe enfin au Québec une véritable stratégie de libération économique et sociale. Hélas, cette stratégie semble avoir été dès le départ sacrifiée aux impératifs de la gestion conservatrice des intérêts économiques en place avant le 15 novembre.

Comment concilier ce mode traditionnel de gestion — propre à tous les États capitalistes occidentaux — avec la volonté de libération qui a porté le Parti québécois au pouvoir? Comment promouvoir l'instauration au Québec d'un «contrat social» à la manière britannique, lorsque la guerre est bel et bien déclarée au projet d'indépendance que le P.Q. s'engage toujours (pour combien de temps?) à mener à terme?

Comment le gouvernement Lévesque peut-il en appeler à la concertation de *tous* les agents économiques et sociaux lorsque les plus forts d'entre eux, les milieux d'affaires et, plus particulièrement, les multinationales, en étroite collaboration avec Ottawa et Washington, exigent l'abandon total et définitif par le P.Q. du projet d'indépendance, même si ce projet porte l'étiquette rassurante de « souveraineté-association »?

Comment le gouvernement Lévesque peut-il croire aux vertus de la concertation lorsque la nouvelle législation sur la langue a réussi à mobiliser contre le P.Q. l'opposition hystérique du capital canado-américain, de la petite entreprise québécoise parasitaire et de la bougeoisie canadienne?

La crise politique ouverte au Canada par l'accession au pouvoir à Québec d'un parti indépendantiste rend la concertation impossible et le conservatisme inutile. Le Parti québécois se condamne à une défaite cuisante s'il persiste à camoufler l'affrontement en cours derrière des illusions de « contrat social ». Il n'y a pas de contrat social qui puisse tenir en temps de crise. Or, non seulement le Québec est-il confronté, comme les autres pays occidentaux, à une crise économique dont nous ne sommes pas près de voir la fin, mais en même temps à une crise politique décisive, à une lutte à finir entre partisans et adversaires de la sécession du Québec. La crise de « l'unité canadienne », ni le pouvoir central ni le gouvernement américain ne peuvent la tolérer bien longtemps, car elle porte en elle les ferments d'une remise en question non seulement du système politique actuel (ou fédéralisme) mais aussi et surtout du système économique nord-américain.

C'est d'ailleurs ce que Marc Ferro, dans *le Monde diplomatique* (déc. 1976), notait avec pertinence en pré-

cisant que les revendications des Québécois, des Basques, des Gallois, des Corses, etc., étaient en contra-
diction avec les projets économiques et politiques de
l'Occident. «La croissance elle-même est mise en
cause. En réalité, ce n'est pas le progrès (le progrès
humain, s'entend) qui est contesté, mais bien le système
qui s'identifie à lui pour mieux manipuler la société,
assurer son emprise sur elle: le système de l'État et du
capital, ou des deux associés.»[1]

En se définissant contre «les doctrinaires de l'État
centralisé» et/ou contre les propagandistes du capitalisme monopolistique, ajoutait Marc Ferro, les Québécois sont assimilés par le pouvoir à des «subversifs
et, en conséquence, sont menacés du châtiment». Ce
châtiment pouvant aller des représailles économiques
à la répression armée. Qui a dit que les prolétaires
n'avaient pas de patrie?

Au lendemain de l'élection du 15 novembre 1976,
l'ambassadeur des États-Unis à Ottawa faisait part au
premier ministre du Canada, Pierre Trudeau, des dangers que le Québec se transforme en «un second Cuba
au nord». James Reston, l'influent éditorialiste du
*New York Times,* écrivait quant à lui, le 26 janvier
1977, que les États-Unis, c'est-à-dire pour M. Reston,
la Maison blanche, les corporations multinationales et
«les banquiers de la cité», ne peuvent accepter «la
perspective d'un Québec séparé qui romprait ses liens
avec le Canada, de même que la possibilité d'un Canada
divisé». «La mélodie du séparatisme, d'ajouter l'éditorialiste du *New York Times,* est dépassée et presque
tragique... *Les États-Unis croient au Canada*» et re-
jettent, en conséquence, «l'objectif politique du Parti
québécois qui consiste à faire du Québec une nation
séparée et souveraine le long de notre frontière de la
Nouvelle-Angleterre»[2].

Tous les grands journaux américains ont tenu un langage identique. Et le vice-président du *National Geographic Magazine,* M. Gilbert M. Grosvenor, est allé jusqu'à émettre le vœu (avril 1977) que le premier ministre Trudeau n'ait pas, comme Abraham Lincoln autrefois, à faire intervenir l'armée pour préserver l'unité du Canada, «this beautiful land». Renchérissant sur ce thème qui rappelle aux Américains les déchirements de la Guerre de Sécession, Pierre Trudeau devait, devant le Congrès des États-Unis, qualifier l'éventuelle indépendance du Québec de «crime contre l'humanité» (22 février 1977).

Bref, les États-Unis et le pouvoir central canadien n'ont pas tardé à manifester leur volonté commune de s'opposer par tous les moyens au séparatisme québécois. Dans l'éditorial cité plus haut, James Reston reproche doucement au président Jimmy Carter d'avoir compris cette question «avec quelque retard» et l'invite à placer «le cas du Québec» en tête de ses priorités, «car c'est le Canada, écrit-il, et non l'Europe ou le Japon, qui est notre plus important partenaire commercial». Par la même occasion, Reston rappelle au chef du Parti québécois, René Lévesque, que l'indépendance n'est pas, contrairement à ce qu'il a prétendu à New York, «normale et inévitable»[3], même si les règles du jeu devaient dans un Québec séparé demeurer inchangées.

Dans son édition du 26 janvier 1977, le *New York Times* rapporte même, à la une, qu'un important financier américain (dont l'identité n'est pas dévoilée) voit en René Lévesque «un homme séditieux qu'il faut arrêter». Sans aller aussi loin, le président de Probe International, M. Benjamin Weiner, ancien diplomate de carrière au secrétariat d'État, avoue candidement: «Les milieux d'affaires craignent les changements», qui favorisent l'émergence des groupes contestataires.

Ils ne peuvent davantage soutenir des politiques québécoises qui seraient dirigées contre les intérêts politiques du Canada, contre les États-Unis et contre le capitalisme[4].

Enfin, du côté canadien, le directeur du *Maclean's Magazine,* M. Peter Newman, proche collaborateur de Pierre Trudeau, prophétise: «C'est le début de la fin pour René Lévesque. L'indépendance du Québec ne va pas de soi. Au contraire. Le Canada n'admettra jamais que le Québec puisse s'en détacher.» Et tous les grands journaux canadiens d'affirmer la même chose, y compris ceux du Québec, comme *Le Devoir, La Presse, Le Soleil,* le *Montreal Star* et *The Gazette.*

Chez tous, le raisonnement est le même: 1) le Canada ne peut survivre sans le Québec; 2) les États-Unis ont besoin que le Canada demeure uni et fort, donc centralisé; 3) par conséquent, la séparation du Québec est une aventure condamnable, qu'il faut à tout prix bloquer.

Si Pierre Trudeau n'a pu empêcher, malgré l'intervention militaire d'octobre 1970, l'accession au pouvoir du Parti québécois, du moins s'est-il engagé aux Communes d'Ottawa, le 26 janvier 1977, à faire en sorte que l'indépendance du Québec ne se fasse pas. «Les Américains ne devraient pas s'inquiéter», a-t-il précisé. «M. Lévesque doit se rendre compte que la lutte sera plus dure que prévu.» Ce qui n'empêche pas Trudeau d'ajouter du même souffle, malgré octobre 1970: «Le Québec n'est une colonie pour personne.»

N'empêche que l'armée canadienne est en état d'alerte. Elle n'interviendra pas nécessairement, mais elle interviendra si nécessaire...

À Ottawa, le 11 mars 1977, un haut fonctionnaire attaché au bureau de Pierre Trudeau révélait au journaliste John Ferguson de la Presse canadienne que le pouvoir central avait mis au point une quarantaine de plans différents d'intervention concernant des situations de crise politique aussi bien que des catastrophes naturelles.

À moins que le gouvernement Lévesque ne renonce à son principal objectif, qui est l'accession du Québec à la souveraineté, il ne fait aucun doute que les autorités canadiennes, soutenues par les États-Unis, feront intervenir l'armée, s'il le faut, pour éviter « la cassure du pays »[5].

Les nombreux appels du gouvernement Lévesque à la concertation et à la modération visent-ils à conjurer cette menace? Menace dont les dirigeants du P.Q. sont parfaitement conscients (même s'ils n'en parlent jamais) et à laquelle ils n'ont rien d'autre à opposer que « la légitimité » d'une élection *provinciale* et démocratique où la notion d'indépendance a été volontairement mise en veilleuse. Cette mise en veilleuse a eu pour effet, après le 15 novembre, de faire apparaître le Parti québécois comme un mouvement arrivé subitement au pouvoir « sous de fausses représentations » et même de façon anti-démocratique. Certains vont même jusqu'à soupçonner le Parti québécois de vouloir imposer la souveraineté par des tactiques mensongères qui s'apparentent à celles des coups d'État. D'où les accusations de fascisme qui sont adressées au gouvernement Lévesque chaque fois qu'il donne l'impression de placer ses adversaires devant un fait accompli de souveraineté (comme dans le domaine linguistique, par exemple).

Déjà, les policiers québécois ont laissé clairement savoir qu'ils n'entendaient pas devenir « les bras armés du P.Q. », qu'ils espionnent d'ailleurs pour le compte du pouvoir central depuis sa fondation en 1968. D'autre part, plusieurs hauts fonctionnaires du Québec, solidement installés au sommet de l'administration publique, surveillent de près le nouveau gouvernement. En grande majorité, ils sont des fédéralistes convaincus et entretiennent des relations étroites avec leurs collègues d'Ottawa. Enfin, les journalistes, malgré leur «préjugé favorable» à l'endroit du P.Q., affichent une neutralité soi-disant «objective» qui leur évite la tâche d'analyser en profondeur la situation actuelle, ce qui a pour effet, entre autres, de priver la population d'instruments d'analyse et de sens critique. Les médias décrivent au jour le jour les péripéties, le spectacle en plusieurs épisodes, de la guerre que se livrent, par-dessus la tête des citoyens, les gouvernements Lévesque et Trudeau.

Au sein même du Parti québécois règne l'ambiguïté. Le courage de certains est neutralisé par la modération des autres. Ces derniers sont prêts à élaborer les termes d'un «compromis historique» qui leur éviterait les risques d'une confrontation décisive et leur garantirait, peut-être, les avantages du pouvoir.

Quant aux centrales syndicales, dont l'appui est indispensable au P.Q., elles s'interrogent sur «la rentabilité» du timide réformisme économique et social que défend jusqu'à maintenant le gouvernement Lévesque. Si dans les domaines économique et social, le nouveau gouvernement indépendantiste ne possède réellement «aucune marge de manœuvre», comme l'affirmait René Lévesque dans une entrevue accordée au quotidien *La Presse*[6], que peuvent gagner les syndicats à faire front commun avec le Parti québécois? «Tout ce qu'on peut faire, a déjà déclaré René Lévesque, c'est d'empêcher que des problèmes majeurs, comme celui du chômage qui atteint un niveau catastrophique, ne continuent de s'aggraver.» Contenir la crise, sans chercher à abolir les rapports d'inégalité engendrés par le système actuel, est-ce là une politique de changement ou tout simplement un éloquent aveu d'impuissance?

Les dirigeants du Parti québécois se retrouvent ainsi plus isolés des masses qu'ils ne l'étaient avant la prise du pouvoir. Tout souverainiste qu'il soit, le gouvernement Lévesque ne cesse de perdre à gauche des appuis qu'il ne peut compenser à droite. Dans quel état se présentera-t-il aux Québécois lors de l'éventuel référendum sur l'indépendance?

Jamais, depuis 1837, un parti politique n'avait pourtant suscité autant d'espoirs de changement que le P.Q. Et voilà que quelques mois de pouvoir semblent l'avoir condamné à ne rien changer fondamentalement, si ce n'est, *peut-être,* le statut constitutionnel du Québec.

Au plan constitutionnel justement, il n'est même pas certain que le gouvernement Lévesque maintienne jusqu'au bout la revendication de l'indépendance. « L'indépendance si nécessaire... mais pas nécessairement l'indépendance», a déjà suggéré le député de Mercier, M. Gérald Godin. Est-il possible que le gouvernement actuel, au lieu de faire face à la contre-offensive fédérale qui se prépare, se replie éventuellement derrière la soumission à un nouvel Acte d'Union?

Il est nécessaire de rappeler ici que «le défi de l'indépendance» en est un de taille, si l'on considère que les Nations unies, en 1970, ont condamné toute tentative visant à rompre partiellement ou totalement l'unité nationale et l'intégrité territoriale d'un État constitué et déjà membre de l'O.N.U. (ce qui est le cas du Canada). «En pratique, souligne Jacques Brossard, dans le contexte général de la déclaration de 1970 et dans le contexte politique de l'O.N.U., tout cela revient, sans doute, à laisser la décision (d'autoriser la sécession du Québec, par exemple) à la majorité de l'Assemblée générale mais *plus encore* à l'État directement concerné (le Canada), pour ne rien dire des intérêts des grandes puissances. »[7]

Bien sûr, «plus d'une sécession a réussi malgré l'hostilité de l'État fédéral concerné. Par contre, semblable hostilité peut s'avérer extrêmement coûteuse sur le plan humain, comme sur le plan économique. »[8]

Or, le Parti québécois a toujours prétendu le contraire, surtout depuis 1973. Selon ses dirigeants, la sécession du Québec serait une affaire *rentable* à court terme. Ils ont même tenté de chiffrer en dollars cette rentabilité qui serait, selon eux, accompagnée d'une hausse miraculeuse du niveau de vie. Cette démagogie trompeuse n'a aucune chance de résister aux faits. D'ailleurs, depuis le 15 novembre, elle a été prudemment mise au rancart. On parle plutôt aujourd'hui de ces «contraintes» économiques engendrées par la crise mondiale actuelle et qu'un gouvernement «provincial» n'a pas les moyens de déjouer.

Dans un même temps, l'objectif de la souveraineté politique est doublé du sauvetage inattendu des centenaires revendications à «l'autonomie» dans des secteurs de «juridiction provinciale». Revendications aussi anciennes que la Confédération et que tout à coup, en 1977, le gouvernement Lévesque, hésitant et divisé, ressuscite en même temps que la statue de Maurice Duplessis. Un pas de plus dans cette direction conservatrice et le Parti québécois tendra ouvertement la main à Rodrigue Biron pour la formation d'un gouvernement d'«union nationale» !

Les technocrates qui entourent et conseillent René Lévesque sont-ils en train, au plan politique, de reprendre à leur compte les idées d'Honoré Mercier, revisées en 1965 par Daniel Johnson, qui les avait coiffées du slogan «Égalité ou indépendance»?[9]

En somme, le projet indépendantiste, volontairement déradicalisé par la thèse de la « souveraineté-association » et par les appels aussi dérisoires qu'inutiles à la concertation, ne servira-t-il, en fin de compte, que d'outil de pression pour obtenir d'Ottawa la formulation d'un fédéralisme « plus souple et plus décentralisé » ?

Nous dirigeons-nous vraiment vers l'indépendance ou allons-nous tout simplement « du fédéralisme au fédéralisme », pour employer une expression de Jacques Brossard[10] ? Si tel est bien le cas, l'élection du 15 novembre 1976 n'aura-t-elle été qu'un sursaut illusoire de dignité ?

Avant de chercher plus loin à répondre à ces questions, il n'est pas superflu de revoir brièvement le cheminement historique qui, de l'insubordination à la collaboration, de la révolte à la connivence, a permis aux Québécois de se développer jusqu'à maintenant comme une nation à la fois aventureuse et morbide. Une nation qui, depuis trois siècles, oscille entre l'activisme et l'apathie, et qui, dans un même temps, peut pratiquer les aspirations les plus orgueilleuses et la mendicité officielle, mêler le socialisme communautaire et l'assistance sociale, rêver d'indépendance et aspirer au fonctionnarisme.

En 1974, André d'Allemagne, l'un des fondateurs du Rassemblement pour l'indépendance nationale, n'hésitait pas à qualifier la société québécoise de « foncièrement morbide », de « royaume de l'aberration et de l'ambiguïté », de « *peuple perdu* de l'histoire »[11].

Car, depuis l'échec de l'insurrection de 1837-1838, tout aboutit toujours au Québec à une psychose de *survie*. Cette « intuable » obsession de la survivance a tellement refoulé l'instinct de liberté et de révolte que celui-ci, dès qu'il réapparaît lors d'un débat ou d'une crise, fait figure de monstre «terroriste», qu'il convient de refouler à nouveau de peur qu'il ne conduise «trop loin, trop vite» et qu'il n'attire ainsi sur la collectivité les foudres du conquérant. Une fois la liberté étouffée, renaît cependant l'angoisse. La précarité de la survivance, pour une minorité dépossédée, engendre inévitablement la crainte de l'assimilation totale. On voyage ainsi, depuis près de 150 ans, de la peur de l'assimilation à la peur de la liberté. Ce qui fait souvent ressembler le Québec à «une maison de fous» où les choix politiques s'apparentent davantage à des mouvements pulsionnels et saisonniers qu'à des orientations collectives en profondeur, conscientes et de longue durée. Les options électorales sont tout aussi incontrôlées et incontrôlables que les poussées sporadiques de violence. Ainsi donc la question ne cesse jamais de se poser: où allons-nous?

Au XVII$^e$ siècle, les premiers Français à venir s'établir au Québec ne se posaient pas de questions métaphysiques sur leur avenir. Paysans pour la plupart, ou encore militaires enrôlés de force, jeunes et célibataires, ils ne tardèrent pas à *improviser* et à *innover* pour survivre en Nouvelle-France. Ayant dès le départ accès à la terre et à la propriété du sol, ils goûtèrent aussitôt leur nouveau statut de «travailleurs indépendants». L'autosubsistance leur donnait une liberté qu'ils n'auraient pu connaître dans les régions portuaires de l'ouest de la France qu'ils avaient quittées pour se bâtir une nouvelle vie en Amérique.

Très tôt, nos ancêtres se donnent le nom d'«habitants», par opposition aux résidents français de passage. Ils possèdent le sol, font preuve d'individualisme, d'indépendance et d'insubordination dans la traite des fourrures, la contrebande et la morale[12]. Les seigneurs (marchands, militaires et administrateurs) n'entravent pas ce processus, tandis que le clergé est totalement impuissant à domestiquer leur conscience et leur comportement.

Au moment de la Conquête anglaise (1760), les travailleurs indépendants, anarchistes et têtus, dominent nettement la structure sociale du Québec, qui ne compte alors que 60,000 habitants environ.

Le premier journal québécois est publié en 1764. *La Gazette de Québec* se fait la propagandiste de Voltaire et du protestantisme libéral. « Les Créoles du Canada », comme le Père Charlevoix nommait les Québécois en 1720, sont sensibles à l'agitation qui précède et accompagne l'indépendance des États-Unis (1775-1783) et sont également réceptifs aux idéaux véhiculés par la Révolution française. Mais ils sont trop peu nombreux et trop dispersés pour organiser un soulèvement contre l'occupant britannique.

Ayant suivi les troupes dans la conquête, les marchands anglais, pendant ce temps, n'ont aucune peine à déclasser les commerçants québécois qui sont privés de capitaux et de leaders politiques. Les commerçants qui ne deviennent pas à leur tour des paysans individuels servent de sous-traitants aux marchands anglais.

Dès 1778, les Anglais, qui ne forment que 0.3% de la population, détiennent le monopole du commerce intérieur et extérieur de la colonie. Ils obtiennent assez facilement la collaboration empressée du clergé et de l'ancienne « aristocratie » que les habitants ont rejetés. De ces débris d'élites, l'occupant forme une nouvelle classe dirigeante.

En 1791, les Loyalistes, opposés à l'indépendance américaine, envahissent par milliers la colonie. Ils développent le Haut-Canada (l'Ontario) et occupent une partie du Bas-Canada (le Québec). L'Angleterre dote le Bas et le Haut-Canada d'une assemblée législative fantoche. Dans le Bas-Canada, les Québécois forment la majorité à l'assemblée législative, mais leurs décisions sont soumises au véto de l'administration coloniale anglaise.

En 1837-1838, une rébellion ouverte éclate à la suite d'une longue bataille légale pour le contrôle, par l'assemblée des députés, des dépenses publiques et des subsides. La nouvelle petite bourgeoisie des notables prend la direction de l'insurrection que les paysans, majoritairement, soutiennent. Ces derniers forment alors 80% de la population totale du Québec.

L'improvisation de la lutte, le manque d'armes et l'absence de stratégie à long terme conduisent les Patriotes à l'échec. L'armée britannique n'hésite pas à recourir au meurtre et à la terreur (incendies de villages entiers) pour mater la révolte. Les Américains accueillent les exilés mais refusent d'intervenir directement dans le conflit pour écarter les risques d'une nouvelle guerre avec l'Angleterre.

Après la défaite des Patriotes, Lord Durham propose à Londres l'assimilation totale des Québécois. «La langue des riches et des employeurs de main-d'œuvre étant l'anglais (...), je serais vraiment surpris, écrit-il dans son célèbre rapport, si la partie la plus réfléchie des Canadiens français entretenait quelque espoir de continuer à conserver sa nationalité.»

Après avoir excommunié les Patriotes pendant l'insurrection, le clergé se présente au vainqueur comme «l'allié privilégié» du pouvoir. Le catholicisme ne sera pas persécuté en échange de la soumission et de la docilité du peuple.

La répression sauvage de la rébellion coûta très cher aux Québécois. Les élites républicaines s'exilèrent ou se soumirent sous la contrainte. Le clergé en profita

pour assimiler toute révolte au *mal absolu*. Débarrassé
des élites anti-cléricales, il réalisa, avec l'aide du pouvoir britannique, une sorte de coup d'État idéologique
et institutionnel. Maître des paroisses et du système
d'éducation, le clergé se chargea de soumettre les habitants à l'autorité royale, aussi dite de «droit divin».
Il imposa à la société québécoise un obscurantisme
politique, social et culturel sans équivalent en Amérique. Son règne aliénant ne prendra fin qu'en 1960.

En 1840, par l'Acte d'Union, la Grande-Bretagne
dépouilla le Québec de son territoire et de son gouvernement en fusionnant dans une même colonie le Bas
et le Haut-Canada. Londres épongea les dettes du
Haut-Canada en utilisant les revenus excédentaires du
Québec. Il interdit enfin l'usage du français dans le
nouveau Parlement.

Cette répression dura trente ans. Sous la pression
des banquiers et des constructeurs de chemin de fer,
Londres consentit en 1867 à l'union des colonies de
l'Amérique du Nord britannique. Pour obtenir l'adhé-
sion paisible des Québécois, on s'engagea à leur resti-
tuer leur territoire et à les doter d'un gouvernement
provincial «responsable», ayant pleine et entière juridiction dans les secteurs de l'éducation, de la culture,
des affaires sociales et des richesses naturelles. On
leur promit enfin que l'usage de la langue française
serait autorisé aussi bien au Parlement fédéral qu'à
l'assemblée provinciale.

Face à ce projet confédératif, les Québécois ne
manifestèrent pas un enthousiasme débordant. Ils
n'avaient pas oublié la répression qui avait suivie l'insurrection de 1837-1838 non plus que les idées d'indépendance que les troubles avaient semées. Ils récla-
mèrent d'être consultés par voie de référendum, mais
Londres refusa. Après de laborieux débats, 26 députés

francophones sur un total de 48 votèrent en faveur du British North America Act. C'est ainsi que le Québec, en 1867, adhéra à la Confédération canadienne, grâce aux votes de 26 citoyens sur une population qui atteignait 1,200,000 personnes.

Le clergé donna sa bénédiction au nouveau pacte. Les élites conservatrices le légalisèrent. La population renonça à l'insubordination pour entrer dans un siècle gris de résignation, secoué à quelques reprises d'élans temporaires de colère: lors de l'exécution de Louis Riel (1885) et des deux crises de la conscription (1917 et 1939-1945).

Pendant un siècle, il sembla définitivement acquis que les Québécois seraient des Canadiens comme les autres, animés de la même tranquillité conservatrice que les anglophones. Le nationalisme québécois tenta alors d'inspirer la création d'un nationalisme canadien, d'un océan à l'autre. Henri Bourassa fut le principal héraut de ce nationalisme auquel à peu près seuls les Québécois attachèrent de l'attention en cultivant l'espoir que le Canada pourrait les débarrasser un jour de tout lien avec l'Angleterre.

En vertu du British North America Act, le Canada n'était pas un pays indépendant. Il demeurait une colonie de l'Angleterre et n'avait aucune personnalité internationale. Ses relations extérieures dépendaient entièrement de Londres, y compris dans le domaine commercial.

Ce n'est qu'en 1923 que le Canada put négocier et signer lui-même, pour la première fois de son histoire, un traité. Ce traité, conclu entre Ottawa et Washington, portait sur la pêche au flétan. En 1931, par le statut de Westminster, la Grande-Bretagne rendit le Canada libre de toute subordination en matière de législation. Ottawa institua la nationalité canadienne il y a seulement trente ans, en 1947; mais en 1952, le Canada reconnut quand même Elizabeth II comme chef d'État.

Lorsqu'il y a trente ans Ottawa institua la citoyenneté canadienne, les États-Unis avaient depuis longtemps supplanté la Grande-Bretagne comme métropole économique de la colonic canadienne. De 1945 à 1965, l'économie canadienne acheva son processus d'intégration à celle des États-Unis. Et lorsqu'en 1968 Pierre Trudeau devint premier ministre, le Canada (y inclus « la province de Québec ») était devenu le pays au monde le plus complètement dominé par une puissance étrangère. Le Canada constitue aujourd'hui le plus important marché extérieur pour le capitalisme américain, absorbant à lui seul le quart de toutes les exportations américaines[13].

Comme le soulignent James et Robert Laxer, « les Canadiens ont vécu dans l'illusion que leur économie fonctionnait selon les mécanismes classiques du libéralisme, alors qu'en réalité elle est depuis 30 ans entièrement monopolisée et contrôlée de l'extérieur du pays »[14]. L'indépendance du Canada n'est que formelle. Dans les faits, le Canada est un État américain « en liberté surveillée ».

Le Québec est le seul endroit au Canada où cette dépendance absolue a véritablement été contestée. Cette contestation a débuté en 1960, lorsque, sortant d'une longue léthargie collective, les Québécois on décidé de toute remettre en question (économie, système politique, valeurs culturelles, etc.).

En 1963, l'avant-garde contestataire résumait en deux mots les objectifs de cette remise en question globale: « indépendance et socialisme ». Dès lors, les États-Unis, déjà fortement secoués par la révolution cubaine, commencèrent à s'inquiéter.

Le mouvement indépendantiste s'est si rapidement développé qu'il constitue un sujet d'étonnement pour les Québécois eux-mêmes. Simple groupe de pression en 1960, il est devenu en 1968 une force politique majeure et solidement organisée, l'unique opposition qui vaille au centralisme d'Ottawa. Huit ans plus tard, en 1976, il réussit à former le premier gouvernement indépendantiste de l'histoire du Québec, faisant élire 71 députés, contre 26 libéraux (qui en avaient 102 en 1973), 11 unionistes et 2 indépendants. Cette victoire spectaculaire et inespérée a pu faire croire, un moment, que les Québécois étaient sur le point de venger la défaite des Patriotes de 1837-1838 et que l'indépendance était désormais irréversible. Or, rien n'est plus faux.

L'indépendance du Québec est loin d'être acquise. D'abord, parce que les principaux leaders du Parti québécois refusent (pour le moment, du moins) de remettre en cause le système économique, dominé et contrôlé par les États-Unis. Ensuite, parce que les États-Unis ne peuvent pas tolérer que le Québec se sépare du Canada, même si, pour ce faire, le Québec devait promettre d'être un docile serviteur de l'Empire, ce que le Canada a toujours été. (À quoi bon, en effet, deux serviteurs lorsqu'un seul suffit? Le système de «libre concurrence» est depuis belle lurette chose du passé en Amérique du Nord. La conséquence logique de l'intégration économique du continent est la monopolisation des décisions politiques... à Washington. Ottawa ne conteste pas cette réalité. Pourquoi faudrait-il que le capitalisme américain donne au Québec l'illusion de se gouverner?)

Pour que l'indépendance du Québec ait une chance de se réaliser un jour, il faudra d'abord qu'elle ait pour support un projet révolutionnaire. Nous ne sommes plus en 1837. En 1977, l'idéologie indépendantiste n'a aucun avenir si elle ne conteste pas l'essence même de la société nord-américaine, c'est-à-dire l'extension des rapports de *marchandise* à tous les domaines de la vie individuelle et sociale, et la domination de ces rapports marchands par les monopoles industriels, financiers, militaires et étatiques.

On ne peut collectivement sortir de la dépendance économique, de la consommation obligatoire et du sous-développement politique et culturel sans *déconstruire* de haut en bas l'Amérique, c'est-à-dire le système que l'on désigne sous ce nom.

Plus que n'importe où ailleurs en Occident, s'impose en Amérique du Nord la double démarche définie par Attali et Guillaume: la remise en question de toute légitimité du pouvoir; la négation radicale de toutes les formes d'exploitation capitaliste et d'aliénation totalitaire[15].

Pour certains d'entre nous, la démarche indépendantiste s'est toujours inscrite dans cette perspective de transformation radicale du mode de vie. Mais qu'en est-il de la majorité des séparatistes québécois? Sont-ils des colonisés trop bien nourris pour avoir le courage d'imaginer et de vouloir autre chose qu'une souveraineté délayée dans un marché commun de la croissance indéfinie, dût-elle n'être plus qu'une folle croissance de la camelote et des détritus? Ou bien, l'esprit d'indépendance qui a porté le P.Q. au pouvoir finira-t-il par déboucher concrètement sur un refus collectif de collaborer plus longtemps avec les maîtres du continent et du monde?

Personne au Québec n'est certain de l'avenir. Tout le monde, par contre, est conscient du poids énorme des structures et des habitudes engendrées par la cartellisation de l'économie, des communications, de la culture, et par *le contrôle extérieur du niveau de vie des Québécois*. Ce niveau de vie, justement, ne peut

être maintenu que dans la dépossession et le renon-
cement à toute manifestation d'indépendance et d'insubordination. Nous ne pourrons nous libérer collectivement qu'en renonçant à ce niveau de vie. En tant que
Québécois, en tant que collectivité riche et consommatrice, le pouvons-nous, le voulons-nous ?

Le gigantesque développement des ressources
hydrauliques de la baie James (pour ne citer que celui-
là) ne laisse-t-il pas présager, au contraire, notre intégration irréversible à la société nord-américaine, à son
impérialisme, à son mode de production et de consommation, à ses guerres et à sa pollution ? Est-il vraiment
trop tard, en ce dernier quart du vingtième siècle,
pour échapper au continentalisme de la croissance
« optimale » et à tout prix ? Les Québécois, qui forment
environ 2% de la population nord-américaine, peuvent-
ils, même s'ils le voulaient, arracher aux multinationales, au Pentagone et à la C.I.A. la maîtrise de leur
destinée ? Sont-ils en mesure d'opposer aux inventeurs
de l'automobile et de la bombe à neutrons un projet
de société et de civilisation qui soit autre chose qu'une
modernisation du travail forcé, de la pauvreté, de la
résignation et de la frustration ?

Ces questions — et bien d'autres — sont indis-
sociables du projet indépendantiste. Car il ne sert à
rien de rechercher l'indépendance si l'on refuse à priori
de raisonner et d'agir en dehors et contre les limites,
les inégalités et les injustices de la société nord-américaine ; en dehors et contre les ambitions meurtrières
du capitalisme, de l'impérialisme et du militarisme.

Pour que l'aspiration à l'indépendance ne soit pas
une illusoire promesse, il faudra que le Québec cesse
de se développer comme une banlieue des États-Unis.
Il faudra que les Québécois se libèrent de la médiocrité
sans espoir que nourrit le mode de production et de

consommation pour lequel ils travaillent, chôment, vivent et meurent depuis la Grande Dépression des années 1930. Il faudra, comme je l'ai écrit plus haut, rien de moins qu'une révolution qui, tout en abolissant les contraintes du système actuel, soit susceptible d'instaurer un nouveau rapport des hommes à la collectivité, à leur production et à leur environnement. Utopie? Sans doute. L'utopie s'est toujours mal défendue face aux armes du pouvoir établi. Mais pourtant elle dure, depuis l'Antiquité. Elle vit des libertés jamais acquises mais qui sans cesse ressuscitent, parce qu'elles constituent l'ensemble de nos espoirs.

Bref, ce que je tiens à affirmer clairement dès maintenant, c'est que «le défi du Québec» ne peut être relevé ni dans le terrorisme de la croissance que commande le capitalisme ni dans les privilèges inhumains de l'opulence que procure l'impérialisme.

Le défi auquel nous sommes confrontés, comme tous les autres peuples d'ailleurs, c'est de *vivre autrement*.

Saint-Mathias-de-Bonneterre,
été 1977

**Chapitre I**

# UNE VICTOIRE AU GOÛT INCERTAIN

Tous les sondages réalisés au Québec depuis dix ans indiquent que les Québécois sont beaucoup plus préoccupés par les problèmes économiques que par la question de l'indépendance.

Cela s'explique facilement. Bien que le niveau de vie des Québécois soit inférieur d'environ 7% à celui de l'ensemble des Canadiens, lui-même inférieur à celui des Américains, il n'en demeure pas moins *l'un des plus élevés au monde.* Aujourd'hui société industrielle de consommation, dont l'économie est totalement dominée par le capitalisme américain, le Québec, avec une population de 6 millions d'habitants, a un budget annuel qui dépasse en 1977 les 10 milliards de dollars, ce qui le situe parmi les sociétés les plus riches du monde. Comme tous les pays industrialisés, le Québec profite abondamment du pillage et de l'exploitation du Tiers Monde. Ainsi, si tous les habitants de la planète voulaient se nourrir comme les Québécois, les Canadiens et les Américains le font quotidiennement, il faudrait multiplier par huit, d'ici l'an 2,000, la production agricole mondiale. Québécois, Canadiens, Américains et Européens, rappelons-le, utilisent pour leurs seuls besoins 20% des terres agricoles du globe en plus des leurs propres. Les Québécois font partie de cette minorité privilégiée de l'humanité (environ 15%) dont le mode de consommation exige l'exploitation des richesses (matérielles et humaines) de 85% des hommes et

conduit à des impasses et à des catastrophes planétaires.

Bien que « nègres blancs d'Amérique », les Québécois pratiquent *l'art du gaspillage* [16] avec une insou-
ciance joyeuse et galopante. Peu importe qu'en 1973,
par exemple, près de 70 millions de personnes dans
le monde soient mortes des suites de la malnutrition
ou de la faim ; et que des milliers d'autres aient été
tuées au cours de conflits armés suscités par l'impérialisme. Peu importe que les pays industrialisés (dont
le Québec), avec seulement 13% de la population mondiale, consomment 87% des richesses énergétiques.
« D'abord qu'on roule... »

Quant aux dénis de justice dont les Québécois
ont été et sont encore victimes, ils ne se comparent
en rien avec ceux dont souffrent les Palestiniens, les
Bengalis, les Noirs de Rhodésie et d'Afrique du Sud,
les Amérindiens, et combien d'autres peuples du Tiers
Monde. En fait, tout colonisé qu'il soit, le Québec
fait figure de nouveau riche, aux yeux des colonisés
pauvres d'Afrique, d'Asie et d'Amérique latine. Il fait
figure de banlieue jouale de la vaste métropole coloni-
satrice et impérialiste que l'on appelle l'Occident, aussi
qualifié de « monde libre ». Une banlieue aussi riche
que certains pays européens, comme la Belgique, et
qui, de surcroît, appartient à cette race blanche que
l'on a dit prédestinée à régner sur la planète jusqu'à
la fin des temps.

Aucune comparaison possible donc entre le Québec
et le Bengla Desh. Le Québec est assurément (avec le
Canada) la plus riche colonie du monde et la seule qui,
après avoir été totalement vaincue (en 1837-1838),
bénéficie depuis un siècle d'un État autonome, lequel
détient le pouvoir de dépenser 10 milliards de dollars
par année et qui pourrait, s'il le voulait, indépendam-

ment du pouvoir central, nationaliser ses richesses naturelles (amiante, fer, cuivre, terres et forêts, etc.)

Pour ne pas être en reste sur leurs proches voisins, les Québécois se retrouvent aussi parmi les plus grands consommateurs au monde d'automobiles, de motocyclettes, d'appareils ménagers, de téléviseurs, de disques, de produits alimentaires en conserves, de produits de beauté, de vêtements, de chaussures, de médicaments et d'assurances. L'immense majorité de ces produits «de nécessité courante» sont importés, tandis que le Québec exporte à l'état brut ses matières premières. Le secteur des services publics et privés absorbe aujourd'hui la majorité des «jobs». Quand aux emplois dans les secteurs primaire et secondaire, ils sont contingentés par la crise énergétique et inflationniste qui oblige (pour cinq, dix ou vingt ans?) les multinationales à ralentir leur production et à repenser à leur profit les termes de la croissance et de l'opulence.

Même si la crise actuelle est aiguë, les Québécois font rouler un nombre toujours croissant d'automobiles. Et il faudra plus que les hausses successives du prix du pétrole pour remettre radicalement en question ce que Michel Bosquet, Ivan Illich et de nombreux écologistes nomment l'idéologie de la bagnole. En attendant la catastrophe, les Québécois demeurent, comme leurs frères occidentaux, les esclaves volontaires d'une vie de gaspillage qui leur coûte très cher économiquement, socialement et politiquement.

Malgré un taux très élevé de chômage, aggravé par la fermeture d'usines vétustes dans les secteurs de la chaussure, du textile, du meuble et des pâtes et papiers, et aussi par les coups portés par l'impérialisme à son agriculture et à son industrie agro-alimentaire, le Québec, qui consacre la majorité de ses dépenses publiques aux Affaires sociales et à l'Éducation, réussit à con-

server intacts tous les privilèges de la prospérité occidentale et cherche même à se hisser au niveau des
sociétés dites post-industrielles; ces sociétés, avec à
leur tête les États-Unis, qui rêvent de substituer les
productions immatérielles aux sales besognes industrielles (ces dernières étant de plus en plus exportées
dans le Tiers Monde sous le couvert de «l'aide au
développement»).

On ne crève donc pas de faim au Québec. C'est
sans doute pourquoi les parlementaires québécois, entre
autres, sont les mieux rénumérés au monde après ceux
des États-Unis. Inutile d'insister sur le fait que, contrairement aux dirigeants vietnamiens, les ministres et
les députés québécois, qu'ils soient indépendantistes ou
fédéralistes, ne pratiquent pas l'austérité qu'ils prêchent
aux syndicats. Ils sont ostensiblement *à l'aise* pour
débattre à la télévision de l'avenir du Québec, pour
jongler avec ses richesses naturelles et pour parler
affaires avec le président d'Exxon, M. Garvin, ou avec
tel ou tel potentat de l'Arabie saoudite. Aussi, lors de la
visite à Paris du ministre Claude Morin et de sa suite
d'experts, en mai 1977, le *Nouvel Observateur* n'a pu
résister à l'envie d'ironiser sur «l'étonnante guerre
d'indépendance» qui semble être dirigée davantage par
des hommes d'affaires, des technocrates, des banquiers
(en puissance), que par le peuple québécois lui-même[17].

Ces généraux en cravate prétendent que la souveraineté a pour but d'accroître le niveau de vie des
Québécois. Ils espèrent en fournir bientôt la preuve
aux fantassins (les électeurs) qui, pour l'instant, sont
condamnés à regarder au petit écran les rebondisse-
ments de la guerre des chiffres et des injures verbales.

Or, la télévision, en plus du débat sur la souveraineté monopolisé par les «experts», diffuse chaque
semaine de bien mauvaises nouvelles: fermetures d'usi-

nes, hausse du chômage, baisse des investissements, augmentation du coût de la vie, marasme agricole, accroissement catastrophique du niveau d'endettement individuel et collectif, destruction accélérée du milieu naturel par la pollution, épidémie de maladies industrielles, empoisonnement du poisson par le mercure, faillite du coûteux système d'enseignement mis en place il y a dix ans, anarchie des soins médicaux et incohérence des politiques sociales, etc. « S.O.S., le Québec s'en va chez le diable », répète le petit écran malgré les démentis des dirigeants politiques.

Pendant ce temps, la minorité anglophone du Québec, les multinationales, le patronat québécois et les fédéralistes résistent à la législation péquiste sur la langue en assimilant les indépendantistes aux troupes nazies. On dit que l'automne sera « chaud », et probablement aussi l'hiver qui vient. De son côté, Ottawa laisse entendre qu'il pourrait intervenir directement pour imposer au Québec « le respect de ses minorités et des droits de l'homme ». Comme les Rhodésiens qualifient les revendications africaines d'« agression communiste », les anglophones du Québec comparent la politique de francisation définie par le P.Q. aux premières manœuvres d'un assaut raciste dirigé contre leur existence même. « On veut nous chasser du Québec, crient-ils, mais nous résisterons. Le français ne passera pas! Pour faire l'indépendance, le gouvernement Lévesque devra nous passer sur le corps. De toutes façons, si nous sommes minoritaires au Québec, nous sommes *majoritaires* au Canada. Et notre pays, c'est le Canada d'abord. Canada first. » Trudeau reprend: « Vous avez raison. Le gouvernement central, soyez en certains, est là pour que vos droits et vos libertés soient respectés. Nous y verrons. »

En plus des mauvaises nouvelles d'ordre économique, la télévision parle quotidiennement de cette fa-

meuse question de la langue et d'un possible affrontement à ce sujet. Le Québec a déjà connu d'autres
crises linguistiques, mais celle qui s'amorce paraît
beaucoup plus grave et l'on redoute ses conséquences.
La région de Montréal deviendra-t-elle un nouvel
Ulster? Déjà, le 26 décembre 1976, Pierre Trudeau
déclarait péremptoirement que certaines personnes
songeaient à prendre les armes. «Bien sûr, ajoutait-il,
ce n'est pas moi qui déclencherai la guerre civile,
mais il y en a qui songent à prendre les armes pour empêcher la destruction du pays.» Et Trudeau de souligner
«les exemples du Liban, de Chypre, de l'Irlande du
Nord et du Bengla Desh».

L'intervention militaire d'octobre 1970 et la proclamation par Ottawa de la *Loi des mesures de guerre*
sont des souvenirs encore tout chauds dans la mémoire
collective. On parle en plus, depuis le 15 novembre
1976, de «tactiques à la chilienne» visant à atteindre
«si durement le Parti québécois qu'il soit incapable
de s'en relever» (Marc Lalonde, 24 décembre 1976).
Ces menaces ont redoublé d'intensité, au début du mois
d'août 1977, lorsque le gouvernement Lévesque a
décidé de réformer le code du travail, d'accélérer la
syndicalisation des travailleurs et d'interdire aux employeurs l'embauche de briseurs de grève. On a alors
crié au socialisme. Un nouveau péril rouge, selon certains hommes d'affaires, se profile derrière le séparatisme. Comme Gilbert M. Grosvenor, du *National
Geographic Magazine,* on pose la question: «What is
behind the movement in Quebec to separate and form
an independent nation?»[18]

Voilà vraiment de quoi alarmer une population
dont le confort, les besoins culturels, le mode de vie
sont calqués sur ceux des Américains, et dont les intérêts, de plus en plus, coïncident avec ceux de l'impérialisme. La présence américaine au Québec est si con-

sidérable (aux plans industriel, commercial, financier, culturel et politique) que si, par hypothèse, elle cessait subitement d'opérer, l'activité économique du Québec serait paralysée à plus de 80%. Bien sûr, il n'est pas de l'intérêt des Américains d'interrompre leurs activités au Québec, mais on imagine facilement l'énorme moyen de chantage dont ils disposent vis-à-vis du gouvernement et de la population.

Bénéficiant de la collaboration empressée de la bourgeoisie canadienne et de la majeure partie de la petite bourgeoisie québécoise (surtout celle qui «fait des affaires»), le capitalisme américain se sait en terrain solide au Québec comme, du reste, au Canada. Jusqu'au 15 novembre 1976, il n'a jamais cru que le Québec pourrait éventuellement choisir de se séparer du Canada. Surpris par la victoire électorale du Parti québécois, il lui refuse toute signification. «Comme les gouvernements précédents, celui que dirige René Lévesque a été élu pour gouverner, pour administer la province, un point c'est tout! Il n'a pas à vouloir briser l'unité du Canada. Il n'a pas reçu la mandat de fomenter l'agitation séparatiste. Il n'a pas été élu pour semer l'inquiétude parmi les investisseurs...»

Le président de Power Corporation, M. Paul Desmarais, a clairement résumé, le 6 mai 1977, le point de vue de la coalition anti-indépendantiste. «Nous nous opposons, a-t-il dit, à *tout* ce qui brime les droits acquis de la population anglophone (du Québec). Les politiques et les actions du gouvernement Lévesque provoquent les entreprises à quitter le Québec. Qu'on y pense bien. Aucun peuple n'a vu sa culture s'épanouir dans la misère. Actuellement, le Québec a besoin de capitaux, de la confiance des investisseurs et de tous ceux qui, par leur nature, sont des bâtisseurs, des créateurs d'emplois et de prospérité. Le gouvernement du Québec a tort de se comporter comme si l'indépendance était inévitable. Les intérêts des Canadiens français peuvent être favorisés beaucoup mieux au sein d'un Canada uni. Le mandat recherché et obtenu par le Parti québécois ne comprenait pas celui de faire du Québec un pays indépendant du Canada. »[19]

Pour Claude Ryan, directeur du *Devoir*, ces propos du président de Power Corporation rencontrent «le jugement de tous ceux qui ont moindrement les pieds à terre au plan économique». Et Ryan d'inviter lui aussi le gouvernement Lévesque à s'en tenir au «mandat de bon gouvernement» qu'il aurait reçu le 15 novembre 1976[20].

Il est vrai que durant la campagne électorale qui a précédé le vote «historique» du 15 novembre, le Parti québécois avait tout mis en œuvre pour écarter des débats la question, pourtant fondamentale, de l'indépendance.

C'est bien là le paradoxe du P.Q.: pour se faire élire plus facilement il place la question de l'indépendance entre parenthèses; et une fois élu, il déclare que l'indépendance est désormais inévitable.

Comment le Parti québécois peut-il avoir la certitude que l'indépendance du Québec est un processus irréversible? Comment peut-il être certain que les Québécois la désirent majoritairement? Si le P.Q. a des raisons de croire que le référendum favorisera l'indépendance, pourquoi alors, durant la dernière campagne électorale, a-t-il choisi de taire cet objectif?

«La politique est un art qui ne s'occupe que des moyennes», écrivait un jour Lawrence Durrell à son ami Henry Miller[21]. Où est donc la «moyenne» vérité entre l'indépendance problématique dont il ne faut pas parler en campagne électorale et l'indépendance certaine qui suit la prise du pouvoir? La «moyenne» se situerait-elle plus près du mensonge que de la vérité?

Dans son introduction au programme du Parti québécois, René Lévesque qualifiait l'accession du Québec à la souveraineté politique du «minimum d'espoir dont un peuple ne peut se passer indéfiniment». Selon le programme du P.Q., réaliser l'indépendance constituait l'objectif premier du parti. Une fois élu, le P.Q. devait «mettre immédiatement en branle le processus d'accession à la souveraineté», *un référendum ne devant être tenu que si le gouvernement péquiste se trouvait dans l'obligation de «procéder unilatéralement»*[22].

Lors du déclenchement des élections générales d'octobre-novembre 1976, les dirigeants du Parti québécois déclarèrent aux électeurs que la priorité n'était pas l'indépendance, ce «minimum d'espoir», mais le renversement de l'administration Bourassa. «Changeons d'abord ce gouvernement corrompu, nettoyons la maison et, après, par voie de référendum, nous verrons ensemble si oui ou non nous voulons former un État distinct ou demeurer au sein du Canada.» «Ça ne peut plus continuer comme ça», tel était le slogan qui coiffait et *résumait* la campagne menée par le parti indépendantiste.

Comment reprocher aux adversaires du P.Q. de crier aujourd'hui à l'imposture lorsque le nouveau gouvernement prétend avoir reçu le mandat de réaliser une indépendance qui serait devenue subitement «irréversible»?

Il est certain que la campagne électorale de 1976 n'a pas permis aux Québécois de faire un choix politique clair. En élisant le P.Q., la majorité a tout simplement décidé de «prendre une chance». Rien de plus. Telle est la triste vérité.

Surpris par leur propre victoire, les dirigeants du P.Q. ont décidé d'en profiter pour imposer d'en haut leur thèse de la « souveraineté-association ». Si l'on ignore encore si les Québécois dans leur ensemble favorisent la sécession, on sait, par contre, que le Canada et les États-Unis la condamnent énergiquement.

Conscients que le P.Q. vient d'hériter de l'état lamentable où se trouvent les finances publiques par suite du déficit des Jeux olympiques et de l'accroissement vertigineux des coûts du projet de la Baie James, Wall Street et ses banquiers n'ont pas tardé à faire comprendre au nouveau gouvernement qu'ils détenaient le pouvoir d'affamer l'administration québécoise. De son côté, l'Hydro-Québec a fait savoir qu'elle devra investir 100 milliards de dollars, d'ici l'an 2,000, pour la construction de centrales nucléaires et celle de nouveaux barrages hydrauliques : tout cela pour répondre, paraît-il, aux « besoins énergétiques » de 6 millions de Québécois[23]. Donc, il faudra que le Québec continue d'effectuer à l'étranger (surtout aux États-Unis) des emprunts considérables. Cette course aux finances ne conduit-elle pas à l'annexion politique plutôt qu'à l'indépendance ?

En pareille situation, les fournisseurs de milliards ne sont-ils pas plus forts que le gouvernement « provincial » ? Or, ces fournisseurs ont compris que l'enjeu de la dernière campagne électorale n'avait pas été, *surtout pas,* la question de l'indépendance. Et le discours que leur a servi, à New York, René Lévesque sur la nécessité de la séparation du Québec leur est apparu comme une tentative de coup d'État.

Wall Street n'avait aucune objection à ce que le P.Q. se charge de nettoyer l'écurie, mais à condition que l'on ne touche pas à ses propriétaires.

Quelles que soient aujourd'hui les prétentions du Parti québécois, les électeurs, de droite, de gauche, du centre et de nulle part, ont, durant la campagne électorale, entendu les mêmes discours que Wall Street. Ils ont compris qu'il était urgent de se débarrasser de l'équipe Bourassa et de faire le ménage. Quant à l'indépendance, des milliers d'entre eux en rêvent depuis longtemps, mais la majorité n'a pas encore eu l'occasion de donner clairement son avis. Jusqu'à preuve du contraire, on peut dire que « l'indépendance irréversible » est plutôt théorique.

Au lieu de vouloir à tout prix remplacer les libéraux aux commandes d'un État fantoche et lourdement hypothéqué, le Parti québécois aurait dû plutôt privilégier la politisation des masses. Il a préféré l'électoralisme à court terme et la démagogie trompeuse. Depuis 1973, le P.Q. manifestait un appétit certain pour le pouvoir. Cet appétit était tellement grand qu'il a fini par supplanter dans le parti l'activité militante à la base, cette manière, par l'action quotidienne, de donner chair et vie à une société en voie de libération. Au départ, pourtant, l'exigence indépendantiste était celle d'une action politique qui soit aussi une morale de l'homme et de la société, qui soit, au mieux, un effort de former, *dans la lutte,* des hommes capables d'assumer individuellement et collectivement des responsabilités sans pour autant s'investir « d'en haut » de l'autorité de guider un troupeau. Or, le 15 novembre 1976, c'est un troupeau qui a porté le Parti québécois au pouvoir. Ce ne fut pas un mouvement collectif de libération.

Plusieurs de ceux qui ont été élus sous *l'étiquette* indépendantiste n'avaient rien d'autre à offrir aux Québécois que leur nom, leurs titres professionnels et leur soi-disant « respectabilité ». Ni Lise Payette ni Rodrigue Tremblay, par exemple, n'étaient connus pour leur militantisme. La télévision, pour une, et l'université, pour l'autre, leur ont conféré de la respectabilité. Ils sont certes compétents dans le show-business et dans l'enseignement. Parvenue au pouvoir, hélas, cette compétence fait rapidement la preuve de son inutilité.

Combien de « nouilles » ont ainsi été, comme sous le précédent gouvernement, investies arbitrairement de responsabilités ministérielles ? Ces « nouilles », affirment les organisateurs du P.Q., ont tout de même *attiré* des votes qui, sans elles, seraient allés aux autres partis. La belle affaire !

Le vote par citoyen favorise les trucs démagogiques par lesquels, a-t-on l'audace de prétendre, le peuple « souverain » peut intelligemment exprimer sa volonté. Je ne dis pas que l'indépendantisme a tort d'emprunter la voie électorale. Je dis qu'il fait fausse route en abusant, par la démagogie, de l'intelligence des citoyens et en mimant jusqu'à l'absurde les campagnes électorales des partis traditionnels.

En 1976, l'objectif de l'indépendance a été noyé dans une mare aux grenouilles. Les grenouilles péquistes prétendaient nager dans une eau propre et accusaient les grenouilles d'en face de se vautrer dans une eau sale. La dépollution étant à l'ordre du jour, les grenouilles dites propres furent élues à la majorité des voix. Les grenouilles sales furent bannies et leur chef dut s'exiler en Belgique, couvert de honte. Mais ce vote de nettoyage n'avait porté que sur une question de « propreté ».

Bien sûr, des dizaines de milliers de votes péquistes étaient en même temps des votes indépendantistes. Mais combien au juste ?

Héritier maladroit et tourmenté de l'ambiguïté qu'il a lui-même encouragée et stimulée, le gouvernement

Lévesque cherche le moyen de s'en débarrasser. Comment y parvenir sans mettre cartes sur table, une fois pour toutes? Sans mettre en jeu ce jeune pouvoir qui, dans les circonstances présentes, semble s'user bien vite et qui ne paraît pas très prometteur de révolution (fût-elle aussi « tranquille » que celle des années 1960)?

Oui, le P.Q. doit mettre cartes sur table s'il ne veut pas que l'ambiguïté et l'absurde ne l'étranglent rapidement. Mais ce n'est pas chose facile, car au sein du cabinet Lévesque tout le monde ne joue pas la même partie (comme c'était également le cas durant la campagne électorale). On y trouve au moins trois clans : 1) les continuateurs du mouvement de libération amorcé en 1960, comme Camille Laurin (Développement culturel), Marc-André Bédard (Justice) et Claude Charron (Sports et Loisirs) : on les qualifie à tort de « durs » ; 2) les partisans de la négociation calfeutrée et de la persuasion clandestine, comme Claude Morin (Affaires intergouvernementales), Rodrigue Tremblay (Industrie et Commerce) et Guy Joron (Énergie) : on les dit prêts à vendre leur âme au diable pour conserver le pouvoir et on les soupçonne fortement de préférer une nouvelle forme de fédéralisme à l'indépendance ; 3) enfin, les « entre-deux » qui attendent de voir laquelle des tendances l'emportera et dont la devise est celle du député Gérald Godin : « l'indépendance si nécessaire... mais pas nécessairement l'indépendance ».

De méchantes langues prétendent à Québec que le cabinet Lévesque éclatera avant le référendum. Déjà, certains ministériels s'avouent « très, très fatigués », et des libéraux leurs conseillent amicalement, entre deux commissions parlementaires, d'aller se coucher.

Le Parti québécois serait-il parvenu au pouvoir pour préparer un malheur, celui des indépendantistes qui, en 1968, se sont coalisés derrière lui ? Cette coalition était nécessaire, personne vraiment n'en doute. Mais elle reposait sur un double objectif: mener de front «la lutte pour l'émancipation nationale» et la «révolution sociale» qu'exige une «situation économique parvenue à son niveau le plus désastreux»[24]. Les dirigeants du Parti québécois n'ont pas tenu cette promesse. Dès 1973, ils accordaient la priorité à un électoralisme du court terme et, pour se donner une «image» de respectabilité tranquille[25], rabattaient «le couvercle de la chaudière» sur ceux qui pouvaient risquer, à leurs yeux, de «se jeter tête première dans des aventures ou des agitations inconsidérées dont les seuls lendemains possibles seraient fatalement de durcir le régime et de le prolonger sous pression jusqu'aux plus ruineux éclatements»[26].

Cette philosophie eut pour conséquence, entre 1973 et 1976, de confier la direction de la lutte pour l'indépendance à des apprentis-banquiers et à une majorité de loyaux partisans du compromis. Le compromis est souvent camouflé sous le mythe de l'efficacité. Suivant ce mythe, tout ce qui est efficace pour le parti est nécessairement bon pour la cause qu'il défend.

Ainsi donc, comme il était efficace électoralement de parler le moins possible d'indépendance en 1976 (les sondages révélant qu'il y avait beaucoup plus d'électeurs mécontents de l'administration Bourassa qu'il y en avait de favorables à la sécession du Québec), René Lévesque lança sa campagne électorale, le 20 octobre, *sans mentionner une seule fois le mot d'indépendance,* comme si son parti n'avait pas été créé spécifiquement pour promouvoir la souveraineté. Il réclama le pouvoir pour assainir le climat politique plutôt que pour «mettre en branle le processus d'accession du Québec à la souveraineté»[27].

Premier résultat de cette tactique à court terme: plusieurs péquistes, au lendemain de leur soudaine victoire, prièrent leurs dirigeants de reléguer aux calendes grecques la tenue d'un référendum sur l'indépendance, les sondages révélant toujours qu'une majorité de Québécois redoutent la séparation. René Lévesque, contrairement à leur attente, choisit d'aller plus vite. Sans doute n'a-t-il pas l'intention de perdre son temps à la tête d'un gouvernement «comme les autres». Un référendum sera tenu avant les prochaines élections et révélera ce qu'aurait dû exprimer le scrutin du 15 novembre.

Le P.Q. sera-t-il plus convaincant au pouvoir qu'il ne l'était dans l'opposition? Jusqu'à maintenant on doit constater qu'il ne brille ni par l'efficacité ni par l'imagination. Plus ça change, plus c'est pareil, doivent se répéter les créditistes.

Jamais dans l'histoire un mouvement de libération n'est parvenu au pouvoir de façon aussi équivoque. Jamais non plus, une fois au pouvoir, un mouvement de libération n'a fait aussi rapidement que le Parti québécois la preuve d'une absence aussi absolue de *politique,* d'initiative historique.

L'initiative historique est habituellement la position qu'adopte, dans l'opposition ou au pouvoir, un mouvement de libération. Cette initiative se fonde alors sur des choix politiques clairement définis, des bases organisationnelles solides et une formation idéologique des militants du «parti historique» qui les incite à *lutter.*

Rien de tel dans la situation présente, mais plutôt une confusion de plus en plus visible qui risque de décomposer l'équipe dirigeante du P.Q. d'ici le prochain rendez-vous électoral.

La coalition hétérogène qui se retrouve au pouvoir à Québec se fonde sur trop d'opportunisme et d'intérêts divergents pour servir de moteur aux changements souhaités par la base du parti. Déjà, cette coalition oblige le gouvernement Lévesque à se désolidariser publiquement du programme du parti élaboré par les militants depuis 1968. Le premier ministre a justifié cette « trahison » en affirmant que « la population (contrairement aux militants) n'est pas si obsédée que cela par le programme du parti, elle ne tient pas compte du programme »[28].

Selon Lévesque, la population du Québec a libéré le P.Q., en le portant au pouvoir, des promesses contenues dans son programme. D'autre part, toujours selon le premier ministre, les militants du parti doivent comprendre que le programme du P.Q. et l'ensemble de ses objectifs « ne peuvent entrer tout de suite dans la machine » du pouvoir[29].

Bref, les priorités du pouvoir ne sont plus celles du parti. Ainsi, au dernier congrès national du P.Q., les militants se sont prononcés en faveur de l'avortement, mais, quelques minutes plus tard, le chef du gouvernement, qui demeure le président du parti, a déclaré que le gouvernement ne tiendrait aucun compte de cette résolution. Que les militants donc prennent pour acquis désormais que « le gouvernement de la population » fait passer le « marketing » (l'expression est de Lévesque lui-même) avant le changement social, car la population, *dixit* Lévesque, n'est pas politisée comme un parti, et un gouvernement se doit de respecter « son rythme d'évolution »[30].

Le rythme d'évolution de la population n'étant pas très rapide, selon l'évaluation qu'en font les technocrates québécois, le P.Q. va faire la mise en marché à petites doses des changements qu'elle est susceptible d'« absorber »[31]. On ne proposera aucun dépassement et même l'indépendance sera présentée à la population comme un fruit mûr.

« Le bon sens de la population est de notre côté et il est plus fort, ce bon sens populaire, que celui des fédéralistes », déclare encore René Lévesque[32]. C'est ce qui l'autorise à dire aux investisseurs américains que l'indépendance est « normale et inévitable ». Certains de ses collègues du cabinet pensent, au contraire, que le besoin de sécurité risque de favoriser le fédéralisme. « Qu'importe, de répliquer le premier ministre. Si les Québécois refusent la sécession, nous continuerons d'administrer la province comme avant. On respectera ce rythme d'évolution dans le statu quo. On se pliera au non-changement. L'important est que nous ayions voulu le pouvoir et que nous l'avons. »

Voilà une avant-garde bien déprimante ! Le 15 novembre 1976, les Québécois auraient-ils donc célébré, en soirée, l'expression d'espoirs inutiles ?

À écouter le ronronnement modérateur des administrateurs péquistes, on croit réentendre un refrain ancien selon lequel la liberté, l'indépendance et le socialisme sont des chimères « qu'on ne doit plus rêver quand on a passé la jeunesse »[33]. On nous invite poliment à retrouver dans nos cuisines la chaleur tiède de rêves décomposés qui, en attendant un miracle improbable, grimacent d'impuissance. Et l'on s'étonne que la jeunesse québécoise n'ait que mépris pour l'art de gouverner.

« Le plus maudit problème en politique, a déjà dit René Lévesque, c'est de garder un idéal tout en perdant toutes ses illusions. »[34] C'était en 1965. Douze ans plus tard, il dirige un gouvernement indépendantiste qui, tout en ayant l'illusion d'être meilleur que les autres, est en train de saper dangereusement ce qui reste encore d'idéal et de ferveur dans les syndicats, les groupes communautaires, les intellectuels, les femmes et les jeunes.

Seul le conservatisme au Québec est *efficace*. C'est ce que Lévesque affirmait il y a dix ans en ajoutant: « Sur le papier, bien sûr, je suis d'accord, il faut une révolution qui change les fondements mêmes de la société. Mais cela me paraît terriblement théorique... Ce à quoi on peut viser, c'est d'améliorer les instruments déjà en place. »[35]

Pendant quelques années, nous avions cru pourtant que la stratégie de René Lévesque, tout en traduisant ce que la collectivité québécoise porte en elle d'hésitations, visait à mobiliser la population derrière un projet global de libération politique, économique et sociale et que, dans cette perspective, le Parti québécois ne ferait pas, au profit de succès électoraux à court terme, l'économie d'un long et patient travail d'éducation politique des masses[36]. Il faut croire que nous nous étions trompés.

D'après l'opinion que Lévesque s'est formée de la population québécoise, il semble bien que, dans son esprit, le peuple n'est pas « politisable », mais seulement perméable au « marketing »[37], à la mise en boîte des politiques, quelles qu'elles soient. D'après lui, si le « marketing » souverainiste est bien fait, la population votera « oui » lors du référendum. Si le « marketing » fédéraliste est meilleur, elle votera « non ». Dans un cas comme dans l'autre, la conscience politique sera méprisée.

Le P.Q. mise sur une transformation passive des mentalités et, en même temps, il recherche, auprès des milieux d'affaires, la conclusion d'une trêve au plan politique. Mais cette trêve ne vient pas. Les milieux d'affaires, comme on l'a vu, refusent au P.Q. la liberté d'utiliser le pouvoir pour défendre ses objectifs souverainistes.

Malgré le conservatisme économique et social du gouvernement Lévesque, l'affrontement ne peut être évité ni avec le capital ni avec le pouvoir central qui, tous deux, exigent que le gouvernement du Québec renonce à sa volonté de «démembrer le Canada». Comme le disait M. Walter Gordon, ancien ministre canadien des Finances, l'option indépendantiste du gouvernement Lévesque place ses adversaires «dans une position ne permettant pas la négociation». De toutes façons, de préciser M. Gordon, les autorités fédérales n'ont pas le pouvoir de négocier la séparation éventuelle du Québec. En maintenant sa volonté de faire accéder le Québec à la souveraineté, le P.Q. conduit le pays à une impasse. Et M. Gordon de lancer «un dernier avertissement»: pour résoudre le conflit Québec-Ottawa, il se pourrait bien que la seule solution soit «l'utilisation de la force»[38].

M. Gordon est bien connu pour ses opinions modérées. Ce «dernier avertissement», il l'a servi à un autre modéré, le ministre Claude Morin en visite à Toronto, le 6 mai 1977. Le ministre québécois des Affaires intergouvernementales n'avait pas prévu, semble-t-il, que le Canada anglais affirmerait aussi catégoriquement sa volonté de faire intervenir l'armée si nécessaire pour forcer le Québec à se soumettre une fois pour toutes. Il est retourné à Québec soucieux et inquiet. Comment, au plan du «marketing», utiliser les menaces du Canada anglais sans, du même coup, faire peur aux Québécois? Comment préparer le Québec à la résistance et, en même temps, tenir sa population à l'écart des décisions politiques? On sait pertinemment à Québec que le gouvernement Lévesque n'a aucune chance, sans l'appui actif de la population, de résister à une offensive majeure du pouvoir central.

Le cabinet Lévesque est fort absorbé et troublé par ce problème. « L'offensive appréhendée aura-t-elle lieu avant ou après le référendum? Quelle forme prendra-t-elle? Pouvons-nous y faire face? Par quels moyens? Déjà, la loi Laurin sur la langue déclenche contre le gouvernement une avalanche de critiques et d'attaques virulentes. Ne sommes-nous pas allés trop vite et trop loin dans ce domaine? N'avons-nous pas provoqué inutilement les anglophones? »

Pour calmer un peu la tempête, Claude Morin a inventé la formule théorique des « accords inter-provinciaux de réciprocité » sur la langue d'enseignement et les minorités. Mais les neuf provinces anglophones ne veulent pas de tels accords qui fourniraient à la thèse souverainiste un certain caractère de légitimité.

Il n'y a rien à faire pour éviter l'affrontement. Et c'est Ottawa, et non Québec, qui en cette matière conserve l'initiative.

Pierre Perrault a déjà proposé (en 1974) qu'au lieu de « ce désespoir qui nous pogne » chaque fois que le pouvoir central sort ses gros canons, on fasse enfin une vraie colère, qu'on se tienne debout, puisque l'heure est venue d'un combat décisif[39].

Qui se chargera, au sein du gouvernement Lévesque, du respect des Québécois, de leur dignité, de leurs droits, sans calculer à l'avance si le courage est « rentable » ou non?

Qu'il le veuille ou non, et cela en dépit de l'ambiguïté qui caractérise sa victoire électorale, le Parti québécois a la responsabilité d'inventer une résistance qui remette la liberté à l'avant-scène de la stratégie. C'est l'unique moyen de ne pas redonner aux Québécois ce goût de l'échec qui risque, au train où vont les choses et l'histoire, de les conduire à la mort collective après les avoir, en d'autres temps, maintenus dans une survivance de misère.

Ce n'est pas en rêvant d'une concertation impossible et en prêchant les vertus du corporatisme que le P.Q. mobilisera l'énergie du peuple québécois.

J'avoue que le pessimisme m'envahit lorsqu'au lieu d'amorcer une résistance, le chef du gouvernement du Québec se contente d'«évaluer les risques» en compagnie d'experts et de fonctionnaires qui lui proposent «des scénarios prospectifs aboutissant à des dizaines de questions possibles, simples, doubles, en accordéon, etc.»[40] À des dizaines d'issues possibles, y compris sans aucun doute celle d'un échec retentissant.

«L'histoire de notre politique, notait Pierre Perrault, s'acharne toujours à reproduire une indécrottable bêtise.»[41] Est-il fatal que le Parti québécois en fournisse la preuve à son tour? On ne tardera pas à le savoir, car le temps est compté au gouvernement Lévesque.

Pendant que ses adversaires se concertent en secret pour planifier leur offensive, les indépendantistes se demandent si, pour conserver le pouvoir, le P.Q. n'ira pas jusqu'à consentir à la formulation d'un nouveau pacte confédératif. Bien sûr, le 6 mai 1977, René Lévesque a déclaré qu'il ne négocierait aucune forme de fédéralisme parce que, dans le passé, Ottawa a toujours refusé d'assouplir ses positions en matière constitutionnelle[42]. Mais si le pouvoir central changeait de tactique? Si Washington décidait qu'Ottawa *doit* faire certaines concessions au Québec?

Après tout, si le gouvernement Lévesque est convaincu que le Québec ne pourra jamais appliquer en Amérique du Nord une stratégie *indépendante* de développement économique et de progrès social, en dehors du capitalisme américain et des politiques de l'O.T.A.N., à quoi pourrait bien lui servir la souveraineté?

# Chapitre II

# LES DEUX SARDINES
# ET LE REQUIN

On l'a vu plus haut, le Canada n'est pas plus que le Québec un pays indépendant. On s'étonne même que les États-Unis aient jusqu'à maintenant résisté à l'envie de s'annexer officiellement son territoire. Il est vrai que le résultat de cette annexion serait de « coller » la frontière des États-Unis à celle de l'Union soviétique. Mieux vaut sans doute que ces frontières ne se touchent que par un Canada interposé (malgré l'Alaska). Les grandes puissances « coexistantes » ont de ces coquetteries !

En vérité, quel avantage retire le Canada de ne pas être juridiquement un État américain ? Sa relative indépendance ne lui procure que des inconvénients (comme le déficit de sa balance commerciale), alors que son ambition est de connaître une prospérité égale à celle de ses voisins du sud. Le Canada se caractérise par le fait qu'il importe massivement tout ce qui fait apparemment le bonheur des Américains sans pour autant se sentir obligé d'envoyer des troupes à l'étranger pour préserver l'ordre capitaliste, le Pentagone et la C.I.A. s'en chargeant pour lui.

Cette politique pro-américaine, mais « pure » d'agressions à l'étranger, a déjà valu à Lester B. Pearson le prix Nobel de la paix. Lester B. était essentiellement un homme de compromis. Quand en 1960 la « révolution tranquille » au Québec a commencé à menacer l'unité canadienne, il a proposé des accommodements au gouvernement Lesage. Mais ce dernier exigeait davantage. Alors vint Pierre Trudeau. Remisant au vestiaire son socialisme «néo-démocrate», Trudeau prit l'habit rouge pour sauver le Canada. En 1968, Pearson cédait la place à Trudeau. Deux ans plus tard, l'armée canadienne occupait pendant trois mois le territoire québécois.

Les Américains apprécient la manière forte de gouverner. Aussi, Pierre Trudeau est-il le premier chef d'État canadien à avoir été invité à discourir devant le Congrès des États-Unis des grands avantages de la démocratie. C'est à cette occasion, le 22 février 1977, qu'il a dit au monde entier que l'arrivée au pouvoir du Parti québécois à Québec constituait une menace pour la paix et que l'indépendantisme était «un crime contre l'humanité». Les parlementaires et les généraux américains l'ont applaudi.

Diplomatiquement, Jimmy Carter a déclaré aux journalistes que le fédéralisme sert beaucoup mieux les intérêts du Canada que la balkanisation. Bien sûr, a-t-il pris soin de préciser, il n'appartient pas au requin d'imposer aux deux sardines un «règlement» de la question.

En secret, toutefois, Washington a commandé une étude spéciale à la C.I.A. Il ne fait aucun doute qu'il faut trouver le moyen de préserver «l'unité canadienne». Recevant Pierre Trudeau dans le salon ovale de la Maison blanche, Jimmy Carter l'embrasse sur les deux joues.

— Comment ça va? demande Carter à Trudeau.

— Assez bien, merci.

— Et la question du Québec, le séparatisme?

— On s'en occupe.

— Bien, bien. Si t'as besoin d'aide, téléphone-moi.

— Je n'y manquerai pas. Merci, monsieur le président.

Pierre Trudeau est retourné triomphant à Ottawa. René Lévesque n'a qu'à bien se tenir. Il n'y aura pas de Québec libre. À moins qu'il y ait la guerre.

\*    \*    \*

Comme il s'oppose au développement d'un nationalisme canadien, Pierre Trudeau ne peut certes pas tolérer celui du Québec. Pour lui, la seule politique adaptée au monde d'aujourd'hui est le continentalisme. Il s'est déjà expliqué en ces termes devant un auditoire anglophone: «Castro a choisi pour Cuba la plus mauvaise solution. Il n'aurait pas dû foutre à la porte les compagnies américaines et provoquer ainsi une diminution considérable du niveau de vie des Cubains. Si les investissements économiques ne nous parvenaient pas des États-Unis, ils nous proviendraient d'ailleurs. Alors, à quoi bon les chasser du pays? Et puis cette frontière qui existe encore entre le Canada et les États-Unis, n'est-elle pas une absurdité aujourd'hui? Non, le nationalisme, qu'il soit politique ou économique, ne peut que constituer un frein au progrès. Nous sommes, nous, pour le progrès.»[43]

Pourquoi Trudeau ne propose-t-il pas ouvertement l'annexion du Canada aux États-Unis? Au fond, ce n'est peut-être pas nécessaire, l'annexion économique étant déjà chose faite et personne (ou à peu près) n'y trouvant à redire. Si l'annexion politique était publiquement proposée, cela risquerait de réveiller le nationalisme endormi des Canadiens. Ceux-ci, jusqu'à maintenant, n'ont manifesté aucun besoin de «survivre comme nation», contrairement aux Québécois.

Ces Québécois, décidément, n'ont rien compris à « la grande politique ». Ils se replient encore sur leur tradition nationaliste. Selon Trudeau, cette attitude est réactionnaire, elle nie le progrès et conduit au fascisme en provoquant d'inutiles conflits « raciaux ». C'était au siècle dernier qu'il fallait réaliser l'indépendance. Aujourd'hui, c'est trop tard. Comment les Québécois pourraient-ils progresser en dehors du système actuel?

Pour Pierre Trudeau, René Lévesque est le leader de la réaction et sa politique souverainiste est non seulement dépassée mais subversive.

Pour les indépendantistes québécois, c'est Pierre Trudeau qui est réactionnaire. Mais on sait qu'il a un avantage de taille: l'armée canadienne et celle des États-Unis partagent entièrement son point de vue. En face, le Parti québécois ne dispose même pas d'un tire-pois.

Convaincu qu'il n'y a aucune concession à attendre de Pierre Trudeau, le gouvernement Lévesque a fait, depuis le 15 novembre, plusieurs démarches auprès des grands patrons américains, afin de les convaincre que la souveraineté du Québec n'entraînerait pas nécessairement un bouleversement des règles du jeu. Mais les patrons sont restés sourds. Non seulement ils sont unanimes à s'opposer à tout projet de sécession, mais ils se méfient autant des péquistes que des castristes.

N'ont-ils pas lu dans le programme du P.Q. que les séparatistes envisageaient de « créer une unité de recherche et de surveillance, relevant de l'Assemblée nationale, qui viserait à *éliminer* l'intervention politique des multinationales dans l'État du Québec » ?[44] N'est-ce pas là une manifestation très claire d'hostilité envers le capitalisme américain?

Et que dire du projet péquiste de retirer le Québec des alliances sacrées que sont l'O.T.A.N. et N.O.R.-A.D., de donner préséance aux « relations avec les pays du Tiers Monde » plutôt qu'à celles avec les États-Unis, de combattre l'usage des armes nucléaires, etc. ?[45]

Un Québec indépendant ne ferait-il pas le jeu du « communisme international » ?

C'est ainsi que raisonnent les grands patrons et, malgré les adoucissements apportés par René Léves-que (depuis le 15 novembre) à ce « radicalisme », ils demeurent persuadés que les États-Unis n'ont rien à gagner de ce côté. « Seuls les socialistes profiteraient de l'indépendance du Québec et, après le départ ou la disparition de Lévesque, ce seraient eux qui dirigeaient le Québec. Cuba, une fois, ça suffit ! »

Cette prise de position ne peut surprendre que les naïfs. Le Canada est la plus grande colonie des États-Unis et le Québec doit y demeurer à sa place, qui est celle d'une province comme les autres. Qu'on y parle français passe encore, mais qu'on y fomente la révolution, alors non, jamais ! Dieu a fait en sorte que le Québec soit partagé, pour le plus grand bien des Québécois eux-mêmes, entre I.T.T., U.S. Steel, Johns-Manville, General Motors, Alcan, The Royal Bank, The Royal Trust, United Aircraft, Robin Hood, Noranda Mines, Power Corporation, etc. Cet ordre ne doit pas changer.

Heureusement, le Canada a décidé de ne pas se laisser « démolir »[46] par Lévesque et sa bande de « fana-tiques ». Dans son désir d'assurer l'ordre et la paix au pays, Ottawa peut compter sur l'appui sans restrictions des vrais démocrates du monde entier, à la tête des-quels se placent d'eux-mêmes les hommes d'affaires américains.

Mais nous sommes des démocrates, de répondre les membres du gouvernement Lévesque.

Non, répliquent les patrons. On ne peut être démocrate et vouloir l'éclatement du Canada. On ne peut pas non plus défendre les véritables intérêts des Québécois et faire courir à ces derniers les risques d'une guerre civile. Êtes-vous conscients du prix humain et économique que les Québécois devront payer à cause des buts politiques que vous poursuivez? Déjà, avec la loi Laurin sur la langue, *vous avez recours à l'injustice!*[47]

Comment le gouvernement de la sardine Québec peut-il efficacement se défendre contre de pareilles accusations? Le «bon droit» peut-il suffire? Où le Québec aurait-il des chances de trouver des appuis extérieurs qui puissent contrebalancer l'opposition canado-américaine? Peut-on résister dans l'isolement?

# Chapitre III

# L'ISOLEMENT POLITIQUE DES QUÉBÉCOIS

Jusqu'à récemment, le monde entier ignorait l'existence du Québec. « La question du Québec » a commencé à être internationalisée lors de la visite d'Elizabeth II à Québec en 1964. De Gaulle, en 1967, lui donna un caractère plus « dramatique » en s'écriant, du haut du balcon de l'hôtel de ville de Montréal, « Vive le Québec libre ». En 1970, la crise d'octobre et l'occupation militaire du Québec révélèrent à tous l'acuité de l'affrontement Québec-Ottawa. Six ans plus tard, l'élection d'un gouvernement indépendantiste à Québec agita les chancelleries du monde entier.

Jusqu'au 15 novembre 1976, les Américains, les Européens et les Soviétiques estimaient que « le phénomène séparatiste » se résorberait avant les années 1980 et que le Canada réussirait sans trop de mal à maintenir son unité. On considérait le Québec comme un fascinant « laboratoire de mutations culturelles », mais non comme une nation susceptible de former un État distinct.

L'élection en 1973 de 102 libéraux contre seulement 6 indépendantistes sembla confirmer l'opinion suivant laquelle la crise d'octobre avait suffisamment terrorisé les Québécois pour les détourner à jamais de l'option sécessionniste. La victoire péquiste de novembre 1976 causa donc un choc considérable. Même si l'indépendance n'avait pas été au centre des débats, pendant la campagne électorale, le gouvernement Lévesque fit savoir, dès l'assermentation des membres du nouveau cabinet, que son principal objectif était de réaliser la souveraineté du Québec, de créer un État distinct (peut-être associé économiquement avec le Canada) et d'obtenir la reconnaissance de ce nouvel État par l'Organisation des Nations unies.

« La question du Québec » prenait ainsi place parmi les revendications à l'indépendance de nombreuses autres entités territoriales englobées dans des États fédéraux déjà constitués et parmi celles de communautés ethniques, régionales ou socio-culturelles en révolte contre le centralisme et le totalitarisme. Mais, contrairement à d'autres sociétés colonisées, le Québec possédait déjà un État, autonome dans certains secteurs importants (comme les richesses naturelles et l'éducation) et doté d'un budget considérable. La menace de séparation y apparut en conséquence beaucoup plus grave. Par ailleurs, pour la première fois, cette sécession appréhendée n'apparaissait pas en Asie ou en Afrique, mais en Amérique du Nord, le continent dont l'intégration économique est la plus forte au monde et dont la prospérité ne peut supporter aucune forme de contestation collective.

Les chancelleries occidentales et soviétiques en arrivèrent rapidement à la conclusion que si le Québec servait de *précédent* en accédant à l'indépendance, « la révolte des ethnies » qui, depuis une dizaine d'années, connaît « un réveil stupéfiant »[48], ne pourrait plus être contenue.

Les Russes songeaient à la Georgie. Les Américains à Porto-Rico, à Panama et aux Noirs. La Chine au Tibet. L'Espagne au pays basque et à la Catalogne. La France à la Bretagne, à la Corse, à la Martinique et à La Guadeloupe. La Belgique au Haut-Adige. La Grande-Bretagne à l'Ulster, à l'Écosse et au pays de Galles. Sans compter, sur d'autres continents, le Kurdistan, l'Érythrée, la Cabinda, la Papouasie, le Sahara, la Palestine, etc. Et, dans tous les esprits, les guerres récentes du Biafra, du Bengla Desh, de Chypre et du Liban.

Heureusement, les Nations unies avaient prévu le coup. En 1970, elles adoptaient une déclaration sur la sécession qui, d'une façon catégorique, condamne depuis lors « toute tentative visant à rompre partiellement ou totalement l'unité nationale et l'intégrité territoriale d'un État constitué, souverain et indépendant ».

Le Canada est un État constitué, souverain, indépendant (formellement) et membre des Nations unies. Sa réputation au plan international, bien que surfaite, est excellente. Washington, Moscou et Pékin n'ont aucun différend majeur avec Ottawa. Le Canada n'a jamais rompu ses relations avec Cuba, même au plus fort du blocus imposé à l'île par les États-Unis. Ses militaires contribuent au « maintien de la paix » à Chypre et au Moyen-Orient. Etc...

Or, l'indépendantisme québécois menace directement l'unité politique et l'intégrité territoriale de ce pays bien-aimé des Nations. Par sa situation géographique, un Québec séparé signifierait l'éclatement du territoire canadien en deux zones distinctes (les provinces maritimes, à l'est du Québec; l'Ontario, les Prairies et la Colombie britannique, à l'ouest du Québec). D'autre part, l'accession du Québec à la souveraineté ne manquerait pas d'inciter les Maritimes (et peut-être aussi certaines provinces de l'ouest) à se joindre directement aux États-Unis. Une fois l'indépendance du Québec réalisée, comment Ottawa pourrait-il s'opposer à ce que les neuf autres provinces revendiquent à leur tour le droit à l'autodétermination et l'appliquent chacune à sa façon? Cette perspective suffit à Ottawa pour s'opposer par tous les moyens à la sécession du Québec et il ne fait pas de doute que la position fédérale reçoit l'appui inconditionnel des Nations unies, et pas seulement celui des États-Unis.

Dans son livre, *L'Accession à la souveraineté et le cas du Québec*, Jacques Brossard note parmi les conditions requises pour l'exercice du droit à la sécession «*le consentement* de l'État dont il désire se détacher»[49]. Inutile d'espérer que cette condition se réalise un jour. Jamais Ottawa ne pourra *consentir* à l'indépendance du Québec.

Par crainte du «précédent», la majorité des États-membres des Nations unies adopteront la même attitude que le gouvernement canadien. Croire le contraire, c'est rêver en couleurs.

En effet, si jamais le Québec formait un État distinct et que celui-ci était admis à l'O.N.U., les mouvements sécessionnistes, dans le monde entier, utiliseraient le précédent québécois pour radicaliser leurs luttes et tous mettraient l'O.N.U. en demeure de leur accorder la même reconnaissance que celle qui aurait été octroyée au Québec. L'O.N.U. serait aussitôt «saisie» des revendications tibétaines, georgiennes, portoricaines, basques, écossaises, etc. N'est-elle pas suffisamment embarrassée déjà par les problèmes que lui pose la Palestine?

C'est sans aucun doute en ayant à l'esprit une situation de ce type qu'en janvier 1970, U Thant, alors secrétaire général des Nations unies, déclarait: «*L'O.N.U. n'a jamais accepté, n'accepte pas et n'acceptera jamais, je pense, le principe de la sécession d'une partie de l'un de ses États-membres.* (...) Le principe de l'autodétermination des peuples est mal compris dans bien des parties du monde. Le droit des peuples à disposer d'eux-mêmes *n'implique pas l'auto-*

*détermination d'un secteur de la population d'un*
*État-membre donné des Nations unies.* »[50]

On ne peut être plus clair ni plus catégorique. Dans le cas qui nous occupe ici, le Québec, en regard des principes définis par l'O.N.U., est « une partie du Canada », un « secteur de sa population ». Sa volonté de faire sécession est donc *condamnable* du point de vue international.

Pour être *légale,* l'accession du Québec à l'indépendance ne devrait pas seulement être consentie par Ottawa et par les Nations unies. Elle devrait, au préalable, avoir été « autorisée » par le parlement britannique qui demeure toujours, en vertu du British North America Act de 1867, le tribunal suprême de la Constitution canadienne. Ce lien a été maintenu jusqu'à présent *spécifiquement à cause du conflit qui oppose le Québec à l'ensemble du Canada.*

Il n'est pas besoin d'insister sur le fait que Londres, tout autant qu'Ottawa et Washington, s'opposera à la sécession du Québec si jamais le gouvernement Lévesque lui demande d'amender la Constitution canadienne en vue d'un « transfert de souveraineté ». On verra un peu plus loin que les sécessionnistes d'Australie occidentale ont échoué, pour cette raison, dans leur tentative de créer un État distinct dans les années 1930.

Cela ne servirait à rien de faire semblant d'ignorer ce qui précède et de faire croire aux Québécois qu'en se prononçant par voie de référendum en faveur de l'indépendance ils convaincraient automatiquement le monde de la justesse de leur cause. Rien n'est plus dangereux que l'ignorance pour un peuple qui cherche à se libérer.

Le Parti québécois, à ce chapitre, a volontairement masqué la vérité. Il a fait croire que l'accession du Québec à la souveraineté pouvait se réaliser par la simple persuasion.

Pierre Trudeau a été plus franc : il a toujours dit que l'indépendance du Québec n'était pas « négociable » et que non seulement le gouvernement central refusera d'en discuter mais qu'il fera en sorte qu'elle ne se réalise pas.

Par la persuasion et la négociation, le Parti québécois ne peut espérer obtenir, *au maximum,* qu'un réaménagement des compétences *au sein du système fédéral* et des garanties supplémentaires concernant la langue et la culture québécoises. Rien de plus.

Si lors du prochain référendum, les Québécois optent de façon non équivoque pour la sécession du Québec, la lutte n'en sera pas terminée pour autant. Cette « consultation » n'aura un sens que si elle est suivie d'un combat collectif pour « arracher » le consentement du fédéral et des Nations unies à l'indépendance. À moins que le Québec ne décide de procéder *unilatéralement.* Mais, dans ce cas également, les Québécois seraient acculés à se battre, à se défendre, car une proclamation unilatérale d'indépendance entraînerait aussitôt, au nom du droit international, l'intervention de l'armée canadienne.

Malheureusement, en misant d'abord sur des succès électoraux à court terme, le Parti québécois n'a préparé ni ses militants, ni les électeurs à une lutte qui ne peut être que longue et difficile.

Si, du moins, le P.Q. avait fait de l'indépendance l'enjeu principal des dernières élections ! Mais non : comme on l'a vu, il a préféré accéder au pouvoir comme un parti traditionnel et en ne proposant à la population qu'une administration provinciale moins pourrie que la précédente. Les Duplessis, Lesage, Drapeau, etc. avaient tous été élus de cette façon. La

« moralité publique » est un thème électoral qui se prête facilement à la démagogie et qui permet de « séduire » les électeurs sans les politiser, sans faire appel à leur dignité et sans même les considérer comme des hommes. On se contente, le soir du scrutin, d'additionner les croix tracées au crayon sur les bulletins de vote sans s'interroger sur la valeur et la signification du choix électoral. En ce sens, comme disait Jean-Paul Sartre, les élections sont souvent des « pièges à cons »[51].

Je crois bien n'être pas le seul à estimer que les dirigeants du P.Q. (aujourd'hui dirigeants du Québec) assimilent souvent les Québécois à des « cons » à qui ils ne faut pas dire ceci ou cela, à qui il ne faut pas révéler les difficultés à venir, à qui il ne faut jamais faire peur, à qui il faut toujours donner des « assurances », quitte à ce qu'elles soient de pures illusions.

Ce leadership du « low profile » augure mal de l'issue des combats à venir, si jamais ces combats ont lieu.

Curieusement, la stratégie péquiste est identique à celle qui échoua en Australie occidentale dans les années 1930. Comme celui du Québec, le gouvernement d'Australie occidentale accusa l'État fédéral de ne pas le favoriser suffisamment, en particulier sur le plan économique. Là-bas également on ne jugeait pas le fédéralisme « rentable ». En 1935, à l'occasion d'un référendum, la population d'Australie occidentale approuva le principe de la sécession *par une majorité des deux tiers*. Qui plus est, tous les chefs de parti se rallièrent à cette option. Mais l'indépendance ne fut pas accordée, à défaut du « consentement » de l'État fédéral australien[52]. La même situation risque fort de se reproduire chez nous si jamais le référendum dégage une majorité pro-sécessionniste.

Statuant en 1869 sur le caractère «indestructible» de la fédération américaine, la Cour suprême des États-Unis a décidé, pour sa part, que la sécession d'un État ne pouvait survenir que par le consentement de l'État fédéral... ou par une révolution.

Quel espoir peut nourrir le Parti québécois d'arracher éventuellement le consentement d'Ottawa à son projet de sécession? À mon point de vue, il n'y a pas une chance sur mille que l'État fédéral accepte le principe de l'indépendance du Québec. Seule une révolution pourrait le contraindre à le faire. Or, la situation au Québec n'a rien de révolutionnaire, ces temps-ci. Au contraire. Le Québec apparaît en 1977 plus conservateur qu'il ne l'était il y a dix ans. C'est là une raison de plus qui aurait dû inciter le P.Q. à préférer le travail de politisation des masses à un électoralisme vulgaire qui, en dépit de la victoire de novembre 1976, conduit à l'impasse et risque même de compromettre pour longtemps les aspirations à l'indépendance et au changement social.

Bien sûr, l'arrivée au pouvoir du Parti québécois contribuera à clarifier la situation, mais il est permis de douter que cette clarification prochaine s'effectue dans l'intérêt des Québécois.

Quand Claude Morin déclarait à Toronto que l'indépendance du Québec allait se produire inévitablement et que le reste du Canada accepterait, comme allant de soi, de s'associer sur le plan économique avec le nouvel État, prenait-il ses rêves pour des réalités déjà en voie d'accomplissement ou préparait-il l'opinion québécoise à une déclaration unilatérale d'indépendance?[53]

Une telle proclamation conduirait tout droit au renversement du gouvernement du Québec par l'armée canadienne.

Alors, où mène la stratégie du gouvernement Lévesque?

Le P.Q. a toujours déclaré qu'il réaliserait l'indépendance du Québec *de façon légale*. Or, la sécession du Québec ne pourrait être légale que si elle était approuvée par Ottawa et, du même coup, par Londres et par Washington. On a démontré que cette approbation théorique est impossible dans les faits.

Instruits de cela, comment voteront les Québécois lors du référendum sur l'indépendance que le P.Q. doit tenir avant les prochaines élections générales?

Justement, il fait partie de la stratégie péquiste de ne pas instruire la population de ce que nous venons de souligner. Ainsi, le gouvernement Lévesque s'apprête à cueillir des « oui » qui seront aussi inefficaces à libérer le Québec que la révolte improvisée des Patriotes de 1837-1838.

**Chapitre IV**

# LE PARTI QUÉBÉCOIS ET LA PERSUASION CLANDESTINE

La manie infantile du P.Q. de cacher aux Québécois tout ce qui risque de leur faire peur a rabaissé le débat politique au niveau de la parole impuissante et mensongère.

La «possession tranquille de la vérité», qui caractérisait le régime Lesage, a été ressuscitée par le gouvernement Lévesque avec une aisance aussi dangereuse que ridicule. Dangereuse, parce que tôt ou tard elle sera brutalement démentie par les faits. Ridicule, parce que les Québécois ne sont pas, par atavisme ou autrement, une bande de caves. Ils voient plus clair qu'il n'y paraît.

L'élection de 1973 et, plus encore, celle de 1976 ont été caractérisées par un discours indépendantiste totalement vidé de substance. On vendait, sans trop insister, «le besoin de souveraineté d'un peuple normal», comme d'autres vendent, par la persuasion clandestine, des produits de beauté. On mythifiait «la rentabilité» de la sécession tout en cachant les difficultés d'y parvenir. On vantait les qualités d'administrateurs des dirigeants du P.Q. en oubliant de dire s'ils étaient aussi des patriotes prêts à laisser leur peau dans l'aventure proposée. Enfin, on utilisait la perspective d'un référendum comme un «message» signifiant en termes voilés que l'indépendance était davantage l'affaire de la population que du parti qui véhiculait le projet et que, par conséquent, le gouvernement Lévesque pourrait être « dégagé » éventuellement de son projet et de son option de base si la population votait majoritairement « non » lors dudit référendum.

La nécessité d'un pouvoir péquiste s'est ainsi subtilement substituée à la nécessité d'un Québec libre aux plans politique, économique et social. Par souverainisme interposé, les dirigeants du P.Q. se retrouvent au pouvoir mais « pas nécessairement » pour faire l'indépendance.

Si les pressions fédérales et américaines deviennent intolérables, on pourra ainsi capituler en mettant cette lâcheté au compte du « rythme d'évolution »[54] des masses. On liquidera l'espoir au nom du « réalisme politique » et des « contraintes économiques ».

Ainsi, on explique au P.Q. la récente élection à Montréal d'une forte majorité de commissaires d'école ultra-conservateurs par « la peur viscérale du changement » que les Québécois se délégueraient de génération en génération, plutôt que d'y voir le résultat de l'absence de travail politique cohérent au niveau scolaire de la part du Parti québécois.

Si la peur, comme le soutiennent des péquistes éminents, est devenue au Québec « un réflexe structurel », autant dire ouvertement que les Québécois sont destinés à se laisser tranquillement avaler et digérer dans le corpus socio-politique américain, à s'émietter en individus sérialisés dont l'unique ambition sera d'ajouter, chacun pour soi, leurs propres efforts au « struggle for life ».

Bien sûr, le gouvernement Lévesque ne dira jamais cela clairement. Il dira, arguments à l'appui, qu'« aucune politique ne peut s'élaborer à partir d'autre chose que de la société dont elle procède ». Fort bien. Mais cette société, est-elle aussi arriérée qu'on le dit ? N'est-il pas possible d'y faire l'effort de la transformer en profondeur? Ou bien toute politique québécoise est-elle par nature condamnée à cirer les bottes du conformisme et à lécher la morve de la peur appréhendée?

Le Parti québécois affectionne le bleu, car c'est là, affirment les grandes agences de publicité, une couleur «rassurante». Le rouge, par contre, énerve l'homme moyen. Le pointe rouge qui brise le cercle bleu du sigle péquiste exprime une volonté de rupture (la sécession) mais, selon lesdites agences, cette pointe rouge (qu'il est trop tard aujourd'hui pour effacer) constitue un risque visuel dont le P.Q. aurait pu se dispenser. Aussi importe-t-il de noyer cette pointe rouge sous le maximum de bleu possible.

Que cela fasse rire ou non, les agences à l'emploi du gouvernement raisonnent un peu de cette façon. Elles sont d'ailleurs payées pour «polir» l'image du Parti québécois; pour, plus précisément, la rendre aussi rassurante et inoffensive que possible. Car, selon les rois du marketing, le peuple québécois aurait un besoin fondamental et indéracinable de sécurité.

La politique de libération doit donc se masquer derrière une pratique de sécurisation permanente. Cette pratique doit, en principe, consolider la respectabilité du parti et du gouvernement, quitte à paralyser toute action tant soit peu progressiste.

L'obsession de la sécurisation conduit ainsi le gouvernement Lévesque à tourner en rond dans le cercle vicieux d'un itinéraire circulaire. On part d'un point pour y revenir bientôt après avoir fait le tour du cercle des hypothèses. Ainsi se prépare-t-on, peut-être, à partir du fédéralisme pour retourner au fédéralisme, après avoir fait le tour de la souveraineté-association et de ses différents modes théoriques d'application. Que le tour du cercle s'effectue en six mois ou en six ans, peu importe, puisque le résultat est le même.

Pour se hisser rapidement au pouvoir, le P.Q. a privilégié les méthodes électorales américaines qui reposent sur un principe bien simple : susciter l'intérêt maximum en se compromettant au minimum, vendre l'accessoire (la propreté) sur la place publique en entreposant l'essentiel (l'indépendance) au frigidaire, mélanger les demi-mensonges aux demi-vérités de façon, une fois au pouvoir, à trouver des justifications électoralistes aux compromis, réduire le militantisme et l'idéologie des partisans aux techniques du « pointage » des électeurs, etc.

Le Parti québécois ne paraît pas conscient du fait que la prudence du « low profile » est elle-même une aventure dangereuse, car elle élève à la hauteur d'une stratégie une enfilade désordonnée de « compromis tactiques ». À ne pas vouloir forcer l'inertie des choses et la léthargie de ceux qui s'y plient, on s'expose, les mains nues et sans appui valable, aux violences de l'adversaire.

En fait, une seule stratégie peut porter en elle l'espérance d'une libération collective, celle qui repose sur un mouvement de lutte des classes *assumant jusqu'au bout* l'indépendance nationale.

Mais le marketing péquiste rejette comme inexistante la réalité de la lutte des classes au Québec et déradicalise l'option indépendantiste dans l'ambiguïté du « souverainisme associé ».

S'il est vrai que la lutte des classes au Québec n'a pas encore conduit les travailleurs à s'organiser en force politique autonome, il n'en demeure pas moins que cette lutte existe et qu'il est tout à fait impossible, dans le cadre du capitalisme américain, de réconcilier les intérêts des ouvriers avec ceux des multinationales qui les emploient.

Il est significatif que les adversaires d'un pouvoir ouvrier autonome et du syndicalisme en général soient également de farouches adversaires du projet indépendantiste. Le P.Q. s'illusionne s'il espère rallier les multinationales à sa cause en proposant la concertation au plan social et économique.

L'association capital-travail et l'attachement aux valeurs hiérarchiques traditionnelles de la société nord-américaine sont incompatibles, dans le contexte québécois, avec la lutte pour l'indépendance nationale. En niant la lutte des classes (surtout par peur des mots), le Parti québécois et le gouvernement Lévesque se condamnent à sacrifier, à plus ou moins long terme, l'objectif même de l'indépendance. Ils se condamnent à revenir au nationalisme stérile qui marquait l'époque duplessiste.

Il n'y a pas de politique de libération qui ne soit aussi une affaire d'imagination. Or, l'imagination fait cruellement défaut à l'Assemblée nationale où domine une rhétorique de l'ennui, une ronde interminable de superlatifs verbeux qui n'étourdit plus que les journalistes. L'action législative se poursuit au pas de tortue et avec tant de prudence craintive qu'elle décourage même les partisans du gouvernement.

Le marketing a fini par faire divorcer l'action du Parti québécois de son but originel. La signification des lois péquistes (à l'exception de celle sur la langue) échappe aux objectifs indépendantistes. On dirait que tout est mis en œuvre pour jouer à pile ou face le sort des Québécois (comme, en 1976, on a joué celui du quotidien *Le Jour*).

Les dirigeants de l'actuel gouvernement du Québec ne paraissent guère disposés à sortir d'un régime politique de boy-scouts qui, de Taschereau à Bourassa, n'a favorisé que la corruption d'une poignée de privilégiés à défaut de pouvoir mobiliser la majorité de la population en vue d'un dépassement collectif.

Ce n'est pas « l'image », changeante et transitoire, d'un parti qui peut susciter et canaliser l'intervention d'un peuple dans sa propre histoire. C'est ce que l'on nomme en Chine « le facteur humain ». Ce facteur est nié par la technocratie dont la raison d'être, le pouvoir et les intérêts dépendent entièrement de la classe dominante. Celle-ci, comme l'on sait, a toujours placé en tête de ses priorités le rejet de toute contestation qu'elle soit politique, sociale ou économique.

La contestation, mal fondamental, est pourtant à l'origine même de l'existence du Parti québécois. Pour le camoufler, René Lévesque a tout fait pour réduire à néant l'histoire du Rassemblement pour l'indépendance nationale. Pour Lévesque, la lutte contemporaine pour l'indépendance n'a pas commencé en 1960 mais en 1968, avec la formation de son propre parti.

Là encore la peur de ternir « l'image » du P.Q. par le souvenir des premières contestations des années 1960 explique cette défiguration volontaire de l'histoire.

Le tort du R.I.N. était de se soucier fort peu du marketing. Un parti *né pour gouverner* doit, au contraire, s'en soucier énormément. Car gouverner, aux yeux de certains dirigeants, c'est avant tout monopoliser le pouvoir politique de décision entre les mains de ceux qui sont des « interlocuteurs valables » pour les détenteurs du pouvoir économique.

La primauté de l'image publique sur la formation politique prive les électeurs, en régime démocratique, de la signification de leur vote. Ainsi les électeurs du 15 novembre 1976 s'interrogent encore aujourd'hui sur le sens à donner à la victoire péquiste. La confusion qui s'ensuit oblige les dirigeants du parti à concentrer leurs efforts dans la préparation de la prochaine « mise en marché » de l'image plutôt que de les atteler, sans arrière-pensée et sans opportunisme, à la tâche pourtant urgente de libérer l'avenir.

Conscients d'être tombés dans le piège démobilisateur du marketing et du conservatisme stérile, de nombreux indépendantistes songent maintenant à créer une alternative au Parti québécois. Mais on ne se défait pas aussi facilement d'une équipe « gagnante » lorsque, pendant des années, on a investi toutes ses énergies dans la recherche d'un succès électoral qui puisse ouvrir les portes du pouvoir.

Des indépendantistes se consolent à l'idée que l'accession au pouvoir du P.Q., en déclenchant l'hostilité du Canada anglais et du capitalisme, aura peut-être pour effet de radicaliser les Québécois et même certains dirigeants modérés du Parti québécois. Toutefois, rien ne laisse croire pour le moment que cette radicalisation va s'opérer. Il est fort possible que les Québécois, réduits au rôle passif de spectateurs dans le débat Lévesque-Trudeau, conservent cet attentisme jusqu'au bout.

On connaît l'habitude des Québécois de considérer la politique comme l'art par excellence de « se faire fourrer ». Des milliers d'hommes et de femmes ont misé sur le Parti québécois dans l'espoir que s'amorce « un tournant historique », un changement radical, une révolution culturelle. Un an après le 15 novembre, ils observent au pouvoir une équipe de grands commis qui jonglent avec leurs aspirations en termes de marketing, de concertation, d'ordre et de paix sociale. Les mandarins libéraux ne se comportaient pas autrement.

Le désenchantement profond qu'il est en train de provoquer risque de coûter cher au gouvernement Lévesque. Il risque, de plus, de ramener la majorité de la population québécoise à l'époque pas si lointaine où le fatalisme tenait lieu de culture et d'idéologie et où l'apolitisme n'avait d'égal que le cynisme des marguilliers de l'Assemblée nationale.

Privé d'une alternative progressiste au Parti québécois, le Québec s'apprête à choisir entre l'indépendance si nécessaire mais pas nécessairement l'indépendance et le fédéralisme si nécessaire mais pas nécessairement le fédéralisme tel qu'il a été vécu jusqu'à maintenant. En somme, le Québec s'apprête à choisir entre deux formes d'ambiguïté.

Pour que l'option proposée ait véritablement une signification *historique,* il faudrait qu'elle soit formulée dans des termes anti-impérialistes. Comme ce n'est pas le cas, le référendum sur l'indépendance risque fort d'être un rendez-vous manqué avec l'avenir.

À défaut de porter sur l'essentiel, sur le système économique nord-américain, le débat sur l'avenir du Québec est devenu l'enjeu électoral d'une guerre entre banquiers et aspirants banquiers. Les premiers se posent en défenseurs privilégiés de la démocratie et les seconds font figure de subversifs.

Cette guerre de la rentabilité s'achèvera-t-elle dans « un grand show tragique », comme celui d'octobre 1970, sans que l'intelligence des Québécois et des Canadiens anglais ait été véritablement sollicitée ?

Malgré tout, il reste encore au gouvernement Lévesque une chance de se sortir, avec la société québécoise, du cul-de-sac actuel. Cette chance repose sur les travailleurs du Québec dont le Parti québécois doit se faire l'allié et à qui il doit fournir la preuve qu'il est capable de mettre en œuvre un programme et une action *autonomes,* socialistes et autogestionnaires, de développement économique et social. Si le P.Q. et le gouvernement Lévesque ne font pas rapidement un tel choix, ils passeront à l'histoire comme ayant été les instruments dérisoires d'une bataille d'arrière-garde, comme ayant été les héros sans cause d'un combat politique sans issue.

**Chapitre V**

# LA QUESTION LINGUISTIQUE ET LE RISQUE DE GUERRE CIVILE

La seule mention d'un risque de guerre civile, de la possible irruption de la violence dans le conflit Québec-Ottawa, fait bondir les technocrates de l'ordre social.

Pourtant, pareille éventualité existe bel et bien. Pierre Trudeau n'est pas le seul à l'avoir évoquée au lendemain de la victoire électorale du Parti québécois. Les «avertissements» formulés depuis par le Canada anglais se comptent par dizaines. Et l'on doit y ajouter les références américaines à la Guerre de Sécession.

C'est peut-être au sujet de la question linguistique et des droits de la minorité anglophone du Québec que ces avertissements se concrétiseront.

Il fallait beaucoup de courage au ministre Camille Laurin pour parrainer la loi 101 sur la langue, alors que certains de ses collègues du cabinet faisaient dans leur culotte, à la seule perspective que les anglophones du Québec descendent dans la rue. Il est moins dramatique, en effet, de voir les patrons briser des grèves ouvrières par la violence que de voir la riche communauté anglophone de l'ouest du Québec se mobiliser en bloc pour défendre des privilèges hérités de la Conquête britannique.

Cette minorité, il est vrai, comprend près d'un million de personnes et forme environ 20% de la population québécoise. (À titre de comparaison, les Blancs de Rhodésie forment 4% de la population du pays dont ils proclamèrent unilatéralement l'indépendance en 1965.)

À cause du voisinage immédiat et de la puissance économique des États-Unis et du Canada anglais, le Québec ne peut espérer l'assimilation véritable de la minorité anglophone. Il ne peut qu'empêcher celle des francophones, majoritaires au Québec mais fortement minoritaires sur le continent nord-américain. Le loi 101 reconnaît cette réalité à la fois démographique et économique. Pourtant, la seule affirmation du « fait français » au Québec suffit à dresser les anglophones contre le gouvernement.

Même les lois 63 et 22, sous les administrations Bertrand et Bourassa, avaient été assimilées par les anglophones à des stratégies fascistes de génocide. La nouvelle loi 101 leur semble une violation des « droits de l'homme ». Camille Laurin a été publiquement comparé à Hitler et le Parti québécois dans son ensemble est perçu comme une armée décidée à *détruire* la minorité par la force.

Presque tous les groupes anglophones se sont coalisés en un « mouvement de résistance ». Pour eux, la loi 101 est seulement le premier d'une série de « coups de force » dont l'objectif serait d'obliger les Québécois anglophones à s'exiler en Ontario ou aux États-Unis.

Pourtant aucune minorité au Canada n'est aussi bien traitée (même avec la loi 101) que celle du Québec. C'est l'unique minorité au pays à pouvoir se comporter comme une *majorité*. Dominant l'activité économique, elle possède son propre réseau scolaire, ses universités, ses hôpitaux, ses journaux, ses stations de radio, ses banques, etc. Elle a souvent réussi, par sa force économique et la puissance de ses groupes de pression, à faire et à défaire des gouvernements québécois. Depuis

1760, elle constitue au Québec l'alliée privilégiée des impérialismes britannique et américain. Formée au départ de marchands, de militaires et d'administrateurs britanniques, elle a réussi à assimiler en presque totalité les Loyalistes américains, les Irlandais, les Écossais, les Italiens, les Juifs, les Grecs, les Ukrainiens, etc. qui, depuis deux siècles, choisirent d'immigrer au Québec. De 99.9% qu'elle était en 1760, la population francophone du Québec forme aujourd'hui 80% de la population totale du Québec. À Montréal, les francophones constituent moins de 60% de la population.

C'est cette situation, résultant de deux siècles de dépendance, qui a suscité la loi 101. Cette loi vise essentiellement à court-circuiter le processus d'assimilation des francophones et à forcer les nouveaux immigrants (auxquels sont assimilés par la loi les anglophones des autres provinces canadiennes) à s'intégrer à la majorité francophone du Québec. Tout en reconnaissant «les droits acquis» des anglophones *déjà établis* au Québec, la loi 101 interdit toutefois à la minorité de se développer à l'aide de l'immigration.

L'esprit de décision que le gouvernement Lévesque, sous l'impulsion de Camille Laurin, a affiché dans ce domaine a suffi à mobiliser contre lui l'ensemble du Canada anglais. Pour contrer cette offensive, le P.Q. a proposé aux autres provinces du Canada des «accords de réciprocité» en matière linguistique, vu qu'il existe des minorités francophones dans plusieurs de ces provinces (plus particulièrement au Nouveau-Brunswick, en Ontario et au Manitoba). Cette offre d'accords inter-provinciaux a été officiellement rejetée le 19 août 1977, car elle représentait pour les provinces anglophones une tentative d'imposer la souveraineté du Québec comme un fait accompli. Il est vrai que Jacques Brossard, dans *l'Accession à la souveraineté et le cas du Québec,* prévoyait la conclusion

de tels accords seulement une fois proclamée et accep-
tée l'indépendance du Québec (p. 734). Brossard partait
alors de l'hypothèse que l'O.N.U. aurait elle aussi
reconnu officiellement l'indépendance du Québec. Or,
nous sommes loin en 1977 de cette reconnaissance. Le
gouvernement Lévesque n'a même pas encore demandé
officiellement à Ottawa et à Londres d'autoriser le
Québec, par un amendement à la Constitution, à se
séparer du Canada.

Pour les anglophones, la loi 101, dans son principe, son contenu et ses intentions, équivaut déjà à
une proclamation *unilatérale* d'indépendance, la question linguistique étant devenue, depuis 1960, l'enjeu
principal de la définition de la personnalité et de l'identité (pour ne pas dire la citoyenneté) québécoises. En
effet, le projet indépendantiste a été, dès le départ,
défini dans les mêmes termes que la question de la
langue. Pour les anglophones, il ne fait aucun doute que
la proclamation du français comme langue officielle,
langue de l'enseignement, langue de l'administration,
langue de la justice, langue du travail, langue du commerce et des affaires, équivaut à une proclamation
déguisée d'indépendance.

On voit, à juste titre, dans la loi 101, une volonté
non seulement d'affirmer une culture particulière et
d'assurer son épanouissement, mais aussi, à plus long
terme, de prendre le contrôle des outils politiques et
économiques dont une collectivité a besoin pour progresser librement.

Les revendications basques ne sont pas compri-
ses autrement à la fois par les Basques eux-mêmes
et par le gouvernement central de Madrid.

Si Ottawa favorise le bilinguisme, c'est que celui-
ci favorise l'intégration économique, politique et culturelle du Québec au Canada anglais et aux États-Unis.

L'unilinguisme est, au contraire, perçu comme une forme *élémentaire* de résistance à cette volonté d'intégration. «Québec français» et «Québec libre» ont été, pour cette raison, très étroitement associés dès les débuts de la lutte indépendantiste.

L'affrontement qu'a déclenché l'adoption de la loi 101 touche donc, par le biais de la langue, l'ensemble du conflit Québec-Ottawa. La question linguistique ne peut être dissociée de la souveraineté politique réclamée par le Parti québécois. Conséquemment, la résistance anglophone à la loi 101 s'identifie au rejet du séparatisme québécois et pourrait déboucher sur une guerre civile, si les anglophones du Québec refusent d'obéir à cette loi du gouvernement Lévesque.

Déjà, le gouvernement central cherche le moyen de déclarer la loi 101 anti-constitutionnelle et de placer le gouvernement du Québec «en état de rébellion», ce qui autoriserait Ottawa à proclamer éventuellement la *Loi des mesures de guerre* et à faire intervenir l'armée au Québec. Pierre Trudeau ne se plaît-il pas à qualifier ouvertement l'action et la propagande du gouvernement Lévesque de «subversives»?

Spécialiste en droit constitutionnel et ancien ministre fédéral de la Justice, Pierre Trudeau n'utilise jamais à la légère les mots de «subversion», «rébellion» et «crime». Il y a toujours un projet d'action derrière ses «outrances langagières».

Le gouvernement du Québec ne prend sûrement pas à la légère les propos de Trudeau et des membres de son cabinet. Comment expliquer alors qu'il ait foncé tête première, dès le début de son mandat, dans le bourbier linguistique? Probablement parce que la question de la langue est celle qui rallie plus facilement les francophones du Québec et qui, à court terme, en cas d'affrontement ouvert, est la plus susceptible d'apporter au P.Q. le soutien populaire dont il a besoin pour gagner la bataille du référendum.

Par contre, si la minorité anglophone s'agite trop violemment, compte tenu des moyens dont elle dispose, il est possible qu'une forte proportion des Québécois francophones redoutent des troubles civils et se replient derrière un compromis qui leur viendrait alors d'Ottawa. Dans ce cas, la loi 101 précipiterait la chute du P.Q.

Ces questions ont divisé et continuent de diviser le cabinet Lévesque. Jusqu'à maintenant, la ligne « dure », représentée par le ministre Laurin, a triomphé, mais sans faire l'unanimité au sein du gouvernement. Si une offensive en règle, déclenchée par le fédéral et par la minorité anglophone du Québec, réussit à ébranler sérieusement l'actuelle « solidarité ministérielle » (plus apparente que réelle), il n'est pas dit que Camille Laurin ne deviendra pas le bouc-émissaire de ceux qui, parmi ses collègues « souverainistes », préfèrent la conservation du pouvoir aux risques de la guerre. Ces derniers craignent par-dessus tout une situation pré-référendum explosive. Si leurs appréhensions devaient se vérifier, ils pourraient en tenir responsable le ministre Laurin autant que Pierre Trudeau et proposer alors un nouveau « pacte » linguistique.

Mais une retraite au plan linguistique équivaudrait pour le gouvernement Lévesque à une abdication totale. Après un bref intermède souverainiste, il n'aurait plus alors que le choix de se rallier au fédéralisme octroyé par Londres en 1867.

D'autre part, la loi 101 constitue jusqu'à maintenant la seule législation véritablement progressiste mise de l'avant par le Parti québécois depuis la prise du pouvoir. Y renoncer constituerait pour le gouvernement et pour le parti indépendantiste un cruel aveu d'impuissance.

Les Québécois n'ont pas le choix. S'ils doivent un jour s'autodéterminer, ils doivent se faire collectivement la négation du *Canadian* que l'histoire a mis en chacun d'eux, à la place de chacun d'eux. C'est en ce sens seulement que la revendication d'un « Québec français » est déjà en soi un acte révolutionnaire.

Mais d'autres actions doivent aussi accompagner cette revendication qui, à elle seule, ne peut conduire bien loin. Parmi ces actions, il y a la définition urgente d'un projet socialiste de libération économique et sociale.

Indépendance et socialisme sont en effet, dans le cas du Québec, comme dans celui des autres sociétés colonisées, les deux faces d'une même exigence. Le réformisme libéral, quant à lui, ne peut conduire nulle part et sera incapable même de régler, à la satisfaction des Québécois, la question de la langue et celle, plus large, de la culture.

# Chapitre VI

# INDÉPENDANCE ET SOCIALISME

« Il faut un temps où le credo libéral de l'impérialisme pouvait s'exprimer en ces termes : « Il est évident que notre Grande-Bretagne bien-aimée a reçu la haute mission de manufacturer des biens pour ses nations sœurs (...) Cet échange de produits finis contre des matières premières, selon les décrets de la nature, rend chaque nation dépendante des autres et scelle la fraternité humaine. » Des idées similaires apparaissent tout au long de l'histoire intellectuelle de l'Occident moderne. Un siècle après le commentateur anonyme cité plus haut, Lord Lugard, l'un des architectes de l'Empire britannique en Afrique, écrivait : « Le partage de l'Afrique est essentiellement dû, nous en convenons tous, à la nécessité économique d'accroître les fournitures en matières premières et en vivres pour satisfaire les besoins des nations insatisfaites d'Europe. »

« Au milieu du XX<sup>e</sup> siècle, c'est la « menace du communisme » que doivent vaincre les sociétés industrielles afin de remplir leur « haute mission » L'Occident est le « monde libre », le « monde premier » dont le « second monde » s'est définitivement séparé et qui lutte maintenant afin d'éviter que le « tiers monde » ne suive un cours inacceptable. L'« Occident » comprend le Japon qui, pour des raisons historiques uniques, a pu échapper aux tentacules de l'empire et se développe en tant que société industrielle. Cet Occident est organisé par les États-Unis et les sociétés multinationales qui sont essentiellement américaines et qui comptent, en dernier ressort, sur la puissance militaire de l'État américain pour garantir leurs intérêts et leur sécurité. Lorsque le mécanisme bien rodé de la subversion ou de la force militaire brutale intervient pour combattre un défi aux « décrets de la nature », les apologistes de l'impérialisme continuent de proclamer la « fraternité humaine » en évoquant sans vergogne la « défense de la liberté et de la démocratie ».

« Bien sûr, cette rhétorique change lorsque les États producteurs de pétrole, par exemple, deviennent capables d'investir dans les sociétés industrielles qui, selon l'ordre naturel, sont maîtresses du monde. On découvre alors soudain qu'il est intolérable de vendre le patrimoine national à des étrangers. Le nationalisme révolutionnaire qui menace d'arracher des sociétés du Tiers Monde à la domination économique des États-Unis est considéré comme un affront aux valeurs de la civilisation et doit être écrasé dans l'intérêt de l'humanité. Comme par le passé, on valorise la doctrine libérale tant qu'elle contribue à l'hégémonie des maîtres naturels. Dès que les conditions changent, on la rejette ; et le bras armé se lève et au besoin s'abat de toute sa force *là où s'amorce un développement autonome*. (...) Il est inévitable qu'un tel ordre social et économique soit mis en question par des voies diverses et souvent imprévisibles. (...)

« Le défi immédiat (pour les États-Unis) est celui des mouvements nationalistes révolutionnaires du Tiers Monde ; mouvements qui luttent pour une relative indépendance, un développement fondé sur des besoins intérieurs, pour la modernisation et le progrès social. Des documents internes révèlent que des experts politiques américains de haut rang craignent que ces mouvements, l'indépendance une fois acquise, ne mènent à bien des programmes de développement et de modernisation. Leurs « succès idéologiques » pourraient entraîner une « extension du mal » si ailleurs des populations passives et réprimées jusqu'ici étaient tentées de les prendre pour modèles.»

Cette longue citation est tirée de la préface que Noam Chomsky a écrite pour l'ouvrage de Gérard Chaliand, *Mythes révolutionnaires du Tiers Monde.*[55]

Bien sûr, la majorité des mouvements nationalistes ne sont pas animés par l'idéologie maoïste. Mais tous peuvent un jour, comme l'écrit Chomsky, entraîner dans le monde une extension du «mal socialiste».

N'est-ce pas déjà suffisant que le nationalisme, exacerbé par l'occupation japonaise, ait favorisé l'établissement du communisme en Chine et que, forts de cet exemple, plusieurs autres peuples prétendent mener à bien «des programmes de développement et de modernisation» dirigés contre l'impérialisme?

Depuis longtemps, les États-Unis savent que le nationalisme constitue le levier le plus puissant des régimes qui les contestent. Ils savent aussi, comme le souligne Régis Debray, que le prolétariat triomphe du capital étranger en devenant d'abord «la classe nationale», le héraut de l'indépendance *patriotique.*[56] Ils savent enfin que le nationalisme petit-bourgeois se transforme en lutte socialiste lorsqu'il assume *jusqu'au bout* l'indépendance nationale.

Les États-Unis n'encouragent le nationalisme que lorsqu'il se développe chez l'ennemi, à l'intérieur du bloc soviétique. Au sein du «monde libre», par contre, le nationalisme doit être combattu au même titre que le socialisme et pour les mêmes raisons.

En 1968, à sa fondation, le Parti québécois prétendait qu'il était possible d'«exploiter à notre avantage» la «machine économique» des États-Unis[57]. On parlait même de construire dans la colonie québécoise un «capitalisme vigoureux»[58]. La clef de ce «miracle» devait être la récupération des impôts actuellement versés par le Québec au gouvernement central[59].

Cette naïveté de collégiens fut nuancée dans le manifeste de 1972[60] : on y parla alors de l'établissement d'une économie socialiste modérée et de la nécessité pour le Québec de «pousser *très loin* l'expérience de nouvelles formes de gestion et de prises de décisions»[61]. Les étapes proposées devaient conduire à «l'autogestion»[62].

Le manifeste de 1972 dénonçait aussi le mythe de la croissance obligatoire, «incontrôlée et potentiellement catastrophique» qui ne répond qu'à «l'appétit inassouvissable des appareils de production»[63].

Pour répondre aux aspirations de son aile gauche, le Parti québécois s'engageait, dans ses programmes de 1973 et de 1975, à développer un modèle économique qui tienne avantage compte de «la qualité de la vie» que de la course inhumaine aux profits.

Mais depuis lors, et surtout depuis son accession au pouvoir, le P.Q. est revenu à son point de départ de 1968. Il cherche désespérément à «exploiter à notre avantage» le capitalisme américain, ce qui est un objectif totalement irréalisable et qui ne repose sur aucun fondement économique et politique sérieux.

Il est en effet inutile de chercher à fonder l'hypothèse de la constitution d'un capitalisme national au Québec. La constitution d'un capitalisme québécois «vigoureux» est impossible à cause du mode de production impérialiste du capitalisme d'aujourd'hui. Depuis longtemps, l'économie capitaliste a cessé mondialement d'être concurrentielle à la manière des 18e et 19e siècles.

La principale conséquence de la prédominance du monopole sur le fonctionnement du système économique est aujourd'hui la disparition des capitalismes nationaux de tous les pays dont la puissance économique et militaire était trop faible, à la fin du 19ᵉ siècle, pour leur permettre d'adopter le mode de production impérialiste, et à bien plus forte raison *l'impossibilité pour les colonies du 20ᵉ siècle* (qui n'ont jamais eu le pouvoir ni la liberté de définir leur développement) *d'appliquer une stratégie indépendante de développement à l'intérieur du système capitaliste actuel.* Elles n'ont le choix qu'entre un difficile et long développement économique de type socialiste ou pas de développement autonome, qu'entre la lutte à l'impérialisme ou le parasitisme[64].

Le concept de bourgeoisie nationale chez Marx fut élaboré à partir de l'analyse d'un système capitaliste *concurrentiel.* Depuis cette époque, le capitalisme est devenu monopolistique. C'est sur la base de cette réalité *fondamentale*, que Lénine et Mao Tsé-toung, contrairement à Marx, ont appuyé le droit à l'autodétermination pour les nations dominées et colonisées par l'impérialisme.

L'impérialisme américain constitue le modèle le plus achevé du capitalisme monopoliste moderne. Ce modèle révèle aux autres sociétés capitalistes avancées, comme l'Europe et le Japon, l'image de ce qu'elles doivent devenir pour continuer à se développer dans le système actuel. Ce modèle, pour atteindre la perfection, suppose rien de moins que l'hégémonie du mode de production impérialiste dans le monde. Et cette volonté d'hégémonie exclut sans pitié la possibilité de bâtir des capitalismes « nationaux ».

C'est sans doute pourquoi, au Québec, l'État est perçu comme l'unique outil collectif de développement par ceux qui préconisent la souveraineté. Mais, pour que cet outil soit efficace il lui faut d'abord devenir socialiste. Autrement, il demeure lui aussi dominé et contrôlé de l'extérieur par l'impérialisme.

Le Québec d'aujourd'hui n'est pas seulement dominé politiquement, il est intégré au mode de production impérialiste *en tant que force productive nationale*. Comme des centaines d'autres entités nationales ou ethniques, il a été transformé en *chantier* au sein du système d'exploitation mondiale des matières premières, de la main-d'œuvre, etc. L'entreprise géante qui exploite ce chantier est le pays le plus puissant du monde, les États-Unis, et il ne supporte aucune concurrence. D'où les échecs subis par le réformisme libéral du régime Lesage lorsqu'il tenta, en marge des multinationales, d'instituer des entreprises d'État, comme Sidbec, Soquem, Soquip, Rexfor, etc. Ces entreprises végètent depuis lors. Il n'y a que l'Hydro-Québec qui prospère, parce qu'elle est essentielle au fonctionnement des multinationales installées au Québec et qu'elle est, de plus, chargée de fournir de l'électricité à certains États américains. « Servante éclairée » des monopoles, l'Hydro-Québec est devenue, depuis dix ans, un État dans l'État et c'est elle, bien plus que le gouvernement du Québec, qui dicte les règles du jeu à l'intérieur de la province.

Dans un tel contexte, le mot d'ordre de la « concertation », remis à l'avant-scène par le gouvernement Lévesque, est une absurdité. Ce mot d'ordre, en effet, vise l'intégration et non l'indépendance. Et l'on se demande ce qu'il vient faire dans une stratégie souverainiste.

L'histoire récente de l'Hydro-Québec démontre qu'un nationalisme privé de volonté socialiste de libération ne conduit nulle part, si ce n'est à un renforcement de la dépendance.

En 1962, la nationalisation des ressources hydrauliques devait servir de moteur à un développement autonome par lequel les Québécois se donneraient enfin les moyens de planifier et de contrôler leur économie. C'est en tous cas ce que René Lévesque, alors ministre des Richesses naturelles, répétait aux quatre coins de la province. Quinze ans plus tard, l'Hydro-Québec, loin de servir de modèle et de moteur au développement du Québec, ne définit ses priorités qu'en fonction des intérêts de ses banquiers de Wall Street et des besoins énergétiques des États-Unis et des multinationales. Les investissements gigantesques que requiert à lui seul, chaque année, le projet de la baie James ont fini d'asservir l'Hydro-Québec, et en même temps qu'elle, le gouvernement du Québec, au rôle d'instrument docile du capitalisme américain, fournisseur privilégié de capitaux et de technologie. Chaque année, pour réaliser ce projet et en amorcer d'autres, l'Hydro doit multiplier les pèlerinages à Wall Street et renouveler, chaque fois, son allégeance américaine. Le gouvernement du Québec est, quant à lui, prié de *suivre* et d'*obéir*.

Aucun gouvernement du Québec, semble-t-il, n'est aujourd'hui capable de faire entendre raison à l'Hydro. Ainsi, après avoir dénoncé pendant des années le projet de la baie James et plusieurs autres, le Parti québécois a annoncé, par l'intermédiaire du ministre de l'Énergie, Guy Joron, qu'il ne pouvait s'opposer à la volonté de l'Hydro-Québec d'aller chercher aux États-Unis, d'ici l'an 2,000, *100 milliards de dollars* pour la construction de nouveaux barrages hydrauliques et pour le développement de centrales nucléaires[65].

C'est dire qu'au lieu de décroître, les emprunts du Québec à l'étranger vont augmenter en flèche. La dépendance du Québec en sera renforcée et la liberté de manœuvre du gouvernement, déjà jugée fort étroite, sera encore considérablement diminuée. Comment croire à la volonté d'indépendance d'un gouvernement qui, aussi spontanément, accueille comme des « besoins vitaux » l'appétit gargantuesque de l'Hydro et le coût exorbitant qu'il représente ?

Sans compter le fait que cette course aux milliards ne pourra se poursuivre que dans la soumission *politique* du Parti québécois aux diktats américains. L'Hydro-Québec, État dans l'État, n'obligera-t-elle pas le P.Q. à se saborder plutôt que d'entrer éventuellement en conflit idéologique avec ses banquiers ? Ces derniers, on l'a vu, ne veulent pas entendre parler d'indépendantisme et, encore moins, de socialisme. Les dirigeants de l'Hydro, à ce que l'on sache, partagent entièrement le point de vue de Wall Street. Il est douteux qu'ils fassent éventuellement alliance avec le Parti québécois pour contrer le chantage américain. Il faut prévoir, au contraire, qu'ils fassent front commun avec Wall Street pour casser le P.Q. Alors pourquoi le ministre Guy Joron se montre-t-il aussi empressé de cautionner les projets et les politiques de l'Hydro-Québec ? Y a-t-il là inconscience crasse ou connivence tranquille ?

En 1962, lors de la campagne de la nationalisation, Pierre Trudeau avait vu dans l'étatisation des ressources hydrauliques défendue par Lévesque une inutile et coûteuse « manifestation de nationalisme »[66], un nationalisme de quêteux dont la « fierté » repose sur le capital étranger et dont le coût énorme est assumé passivement par un peuple muselé. Le gouvernement Lévesque n'est-il pas en train de donner entièrement raison à Trudeau ? Le premier gouvernement indépendantiste de l'histoire du Québec sera-t-il celui qui fournira aux Québécois la preuve irréfutable que leur dépendance est irréversible désormais ?

Le sociologue Guy Rocher, aujourd'hui haut fonctionnaire du gouvernement Lévesque, écrivait en 1971 : « L'indépendance économique, *même relative*, ne se réalisera pas en laissant jouer les lois et les mécanismes du système capitaliste. Parce qu'ils sont aux mains de ceux qui exercent déjà leur domination, les ressorts du capitalisme ne peuvent servir qu'à maintenir et même renforcer l'emprise extérieure sur notre économie. »[67] Guy Rocher n'est pourtant pas un radical. Il est à souhaiter que son texte trouve le chemin du bureau du premier ministre et y fasse au moins l'objet d'une lecture attentive, au moment où les projets de l'Hydro conduisent la société québécoise à la satellisation complète.

La souveraineté politique réclamée par le P.Q. est incompatible avec la dépendance économique dont il semble vouloir maintenant s'accommoder au nom du « réalisme » et du souci de maintenir intact le niveau de vie actuel des Québécois.

Que le Parti québécois se mette une fois pour toutes dans la tête que les Américains ne sacrifieront jamais le système fédéral canadien pour une chimère indépendantiste. Ils ne consentiront même pas à une indépendance de papier. Car l'indépendance fantoche risque parfois d'inspirer tout de même des sentiments, des rancœurs et des « aventures » anti-impérialistes. L'exemple de Panama suffit. Pourquoi vaudrait-on le rééditer au nord ?

Alors à quoi rêvent les péquistes au pouvoir ? Disons-le brutalement : pour l'instant, ils rêvent au néant et le réveil s'impose d'urgence.

Jamais l'indépendance du Québec ne se réalisera si elle ne procède pas d'une action socialiste, anti-impérialiste, autogestionnaire et écologique. Faire croire le contraire est tout simplement une imposture dont le peuple seul risque de faire les frais. Je sais bien qu'on ne peut espérer en Amérique du Nord une victoire rapide du socialisme. Pourtant, il est urgent, partout dans le monde, de « produire de nouveaux rapports sociaux, une nouvelle conception de ce que doit être la société, de ce que peuvent et doivent être les hommes, de ce qu'ils sont eux-mêmes » [68]. Car le type de croissance engendré par le capitalisme ne fait pas que nourrir l'exploitation de l'homme par l'homme, ne fait pas que perpétuer la domination de nations entières par l'impérialisme, il conduit *rapidement* à des impasses et à des catastrophes planétaires. René Dumont ne cesse de le répéter à l'Occident, depuis plus de vingt ans : « Nous sommes acculés au socialisme parce que l'économie du profit nous mène *tous* à notre perte. » [69]

Mais le gouvernement Lévesque semble plus perméable et sensible aux « avertissements » du Pentagone et de Wall Street qu'à ceux des écologistes contemporains. Il a moins peur de l'exploitation et de la servitude que de la liberté et de la vie. Comme Trudeau, il pourrait dire que le niveau de vie est synonyme de progrès et que le progrès est impossible en dehors du capitalisme de la croissance. Comme Trudeau donc, le gouvernement Lévesque devrait être continentaliste et, par conséquent, anti-nationaliste. Hélas, il n'est pas logique comme Trudeau. Il « rêve »...

On a envie de lui crier à pleins poumons : « Réveille-toi, avant que Washington et Ottawa ne te rappellent, sur un ton à renverser la statue de Duplessis-LeNoblet, que ton pouvoir est *illusoire* et que l'indépendance tranquille est plutôt *inopportune, dépassée et presque tragique.* » [70]

James Reston avait pourtant bien dit à Lévesque, le 26 janvier 1977, que « les États-Unis croient au Canada, qu'*ils aiment même* leur voisin canadien et qu'ils sont renversés *par l'idée* que le Canada pourrait se dissoudre en un nombre indéterminé d'États qui se chicaneraient les uns avec les autres. (...) On peut dire, sans vouloir offenser M. Lévesque, si brillant et éloquent soit-il, que la primauté des droits des États et des nations est un concept plutôt étroit, qui relève de la nostalgie et du romantisme. Les institutions économiques et financières doivent aujourd'hui se mesurer à un monde bien différent de celui imaginé par M. Lévesque. » [71]

Allons, les petits gars, finies les folies! Cessez de vous prendre pour des cowboys et de taper sur les nerfs des grandes personnes. Papa Carter, Papa Trudeau et mon oncle Reston ne veulent plus de chicanes, compris?

Puisque tout le monde s'entend pour maintenir le système économique actuel, à quoi rime en effet la chicane Québec-Ottawa? Voyez-vous, les enfants, l'Amérique est *la première nation* du monde et vous avez le bonheur, Québécois et Canadiens, d'en faire partie. La meilleure stratégie dans «le meilleur des mondes» est celle de la «souveraineté impossible», celle qu'un ministre du gouvernement Lévesque justement, M. Rodrigue Tremblay, a déjà présentée sous la forme appropriée du «marché commun Québec–États-Unis» [72]. Il manquait à M. Tremblay la courtoisie d'y inclure aussi le Canada (qui s'y trouve déjà). Mais qu'importe: si vous ne faites pas la paix entre vous, on vous l'imposera par la force.

**Chapitre VII**

# LA CRISE SYNDICALE

90 pour cent des Québécois sont des travailleurs, mais seulement 30 pour cent d'entre eux sont organisés en syndicats.

Bien que le gouvernement Lévesque ait répondu favorablement à certaines revendications ouvrières et qu'il se soit engagé à accélérer le processus de syndicalisation des travailleurs, les relations demeurent difficiles entre le Parti québécois et les centrales syndicales.

Voici comment René Lévesque définit les relations de son parti et de son gouvernement avec les syndicats: « Le gouvernement ne doit rien ni aux organisations syndicales ni à quelque organisation patronale que ce soit. On peut donc les traiter et avec respect et avec distance. Le « préjugé favorable » au travailleur, c'est évident qu'on l'a: *ce travailleur, c'est neuf sur dix des Québécois.* Et on doit s'occuper des plus mal pris, mais pas de la façon dont certains doctrinaires essaient de plaquer sur une société comme celle du Québec des notions marxistes du 19e siècle du genre de la lutte des classes... »[73]

M. Lévesque peut-il honnêtement nier la réalité de la lutte des classes au Québec après avoir vu tous ces conflits très durs qui, d'Asbestos (1949) à Robin Hood (1977), caractérisent « les relations de travail » depuis trente ans?

Lui-même n'utilise-t-il pas des « notions » qui méritent d'être questionnées, comme cette « notion du travail productif »[74] qu'il oppose trop souvent aux revendications syndicales? *Pour qui* le travail est-il «productif»? Pour le mineur ou pour les propriétaires de la mine? Il me semble que le gouvernement Lévesque aurait intérêt à renoncer au plus tôt à son paternalisme gaga d'administration de boutique pour s'engager, *avec les centrales syndicales,* dans un projet concret et socialiste de développement économique et social.

De toute façon, le Parti québécois, à moins d'avoir un goût morbide pour le suicide, ne peut se passer de l'appui de la classe ouvrière pour réaliser l'indépendance ni même pour être en mesure de «gouverner la province» pendant quatre ans.

Ce ne sont ni les entreprises ni les institutions financières qui ont élu l'actuel gouvernement. Au contraire, elles ont toujours combattu le P.Q. et continuent de le faire avec un acharnement encore plus vigoureux que par le passé. Quoi qu'en dise René Lévesque, le P.Q. doit le pouvoir à l'appui électoral des syndicats. En niant ce fait et en cherchant désespérément à pactiser avec le capital, le gouvernement ne peut gagner que la corde avec laquelle il sera pendu.

En dehors du capital, le syndicalisme constitue la seule force organisée. Le P.Q. doit choisir clairement et rapidement ses alliés, ceux qui veulent sa perte ou ceux qui représentent (en dépit de leur réformisme) les intérêts de la majorité de la population québécoise (90 pour cent), majorité qui mérite mieux qu'un simple et fluide «préjugé favorable».

Les centrales syndicales du Québec ont, elles aussi, un choix clair à faire. Si elles n'abandonnent pas leur démarche corporatiste traditionnelle au profit d'un combat véritablement socialiste, pour la construction d'une société autogestionnaire et écologiste, de quel secours peuvent-elles être pour le Québec d'aujourd'hui et de demain?

Malgré les manifestes publiés depuis 1970 par les trois grandes centrales (la Fédération des travailleurs du Québec, la Confédération des syndicats nationaux et la Centrale de l'enseignement du Québec), les syndicats québécois partagent avec le P.Q. les valeurs de ce que les sociologues nomment « la modernité industrielle et post-industrielle ».

Il est significatif que le Québec n'ait encore connu aucune grève générale de nature politique. Le front commun intersyndical établi en 1971 dans le secteur public n'a pu mobiliser circonstanciellement les salariés qu'en faisant du niveau de vie et de la sécurité d'emploi les enjeux principaux de la lutte. En 1972, l'emprisonnement des trois présidents du front commun par le gouvernement Bourassa n'a pas réussi à provoquer chez les syndiqués québécois la moindre action politique d'envergure, ce qui aurait été impensable dans toute autre société occidentale.

Si l'on fait exception de la Centrale de l'enseignement du Québec et de certains syndicats affiliés à la Fédération des travailleurs du Québec, la question de l'indépendance du Québec n'a pas encore été sérieusement débattue à la base. Quant au socialisme, il demeure pour l'instant la préoccupation théorique de certains dirigeants et permanents syndicaux. On a cru, de 1970 à 1976, que les centrales syndicales du Québec se préparaient systématiquement, à mesure que se développait l'influence indépendantiste, à jeter les bases idéologiques et stratégiques d'une forme quelconque de socialisme économique qui aurait fourni un « contenu » au projet de libération nationale. On anticipait alors une alliance entre les forces syndicales et le Parti québécois pour contrer le capitalisme monopolistique américain en même temps que l'État fédéral. *L'urgence de choisir* présupposait cette alliance. Elle ne s'est pas réalisée.

La « collaboration» que la F.T.Q. offre actuellement au gouvernement Lévesque vise d'abord, sinon
essentiellement, à renforcer son propre pouvoir dans les
secteurs industriels qu'elle domine déjà et à accroître
le nombre de ses membres cotisants. L'éventuelle
fusion C.S.N.-C.E.Q. visera, dans d'autres secteurs, les
mêmes objectifs. Ces calculs n'ont rien à voir avec une
stratégie de libération.

Alors que les centrales syndicales exigent du gouvernement Lévesque qu'il définisse au plus tôt une
stratégie cohérente de développement économique et de
plein emploi, elles pratiquent elles-mêmes, au jour le
jour, une stratégie de revendications économiques (surtout salariales) à court terme.

Pour cette raison, Marcel Pepin n'est pas le seul
leader syndical à redouter l'indépendance du Québec et
à lui préférer des actions sectorielles et épisodiques où
«il n'y a pas un gros prix à payer»[75]. Selon Marcel
Pepin, l'indépendance serait «une aventure pour les
travailleurs». Qu'en serait-il alors du socialisme qui implique une révolution? À la perspective d'un «Québec
libre», M. Pepin préfère celle, illusoire, d'une fédération canadienne qui protégerait le Québec de l'influence
et de la domination américaines![76] Dire qu'il avait signé,
il n'y a pas si longtemps, un manifeste qui s'intitulait
*Ne comptons que sur nos propres moyens...*

Quant aux dirigeants syndicaux qui se sont ralliés
ouvertement au P.Q., comme Jean Gérin-Lajoie, président des puissants métallos, ils se définissent comme
des «sociaux-démocrates», des réformistes tranquilles
et «civilisés»: ils n'ont aucun projet socialiste à proposer; le système actuel leur convient et il suffirait d'en
corriger les défauts trop apparents pour que la classe
ouvrière se retrouve au paradis. Ils rêvent d'importer en
Amérique l'aliénation à la scandinave.

Malgré tout, le capital et l'État ont perçu la création en 1971 d'un front commun intersyndical comme une menace à leur hégémonie. C'est pourquoi l'année suivante, ce fut au tour des syndicats de subir leur «crise d'octobre». Leurs leaders furent emprisonnés et l'imposition par décret des «conditions de travail» se substitua aux règles traditionnelles de la négociation. Même l'armée s'en mêla. Prévoyant, à tort ou à raison, la possibilité d'un soulèvement populaire au Québec ou d'un «complot communiste», elle prépara l'opération *Neat Pitch*. Les 18 et 19 avril 1972, soixante-cinq officiers de l'armée canadienne mijotaient à Montréal le scénario de l'écrasement des syndicats jugés hostiles à la démocratie.[77] Pourtant, le Québec est loin d'avoir vécu des affrontements sociaux comparables à ceux survenus ces dernières années en Italie, en France, en Espagne et au Portugal. Cela n'a pas empêché le pouvoir et le patronat d'accuser les syndicats d'être les principaux responsables du chômage et de l'inflation. C'est contre eux que furent d'ailleurs promulguées «les mesures de guerre» anti-inflationnistes du gouvernement Trudeau.

Le patronat québécois est même allé jusqu'à soupçonner les dirigeants syndicaux de préparer la révolution et de fomenter des grèves à cette fin. Il a découvert ce «complot» dans les manifestes des trois centrales: «Ne comptons que sur nos propres moyens», «L'État, rouage de notre exploitation», «Un seul front», «Le manuel du premier mai», etc. En fait, ces manifestes, malgré la justesse de certaines analyses, relevaient davantage du triomphalisme publicitaire que d'une véritable stratégie d'action. Le patronat et l'État y trouvèrent des arguments pour briser la solidarité syndicale.

Ainsi, depuis 1972, la C.S.N., pour sa part, a perdu près de la moitié de ses membres. Environ 40,000 d'entre eux ont formé une nouvelle centrale de droite, la Centrale des syndicats démocratiques. Des milliers d'autres se sont regroupés en syndicats indépendants. Pour ne pas être marginalisée, la C.S.N., qui se targue d'être la plus progressiste des centrales québécoises, doit aujourd'hui envisager une fusion prochaine avec la C.E.Q. dont les membres, selon Marcel Pepin, ex-président de la C.S.N., appartiennent d'emblée à la petite bourgeoisie péquiste qu'il juge « incapable ».[78]

La F.T.Q., de son côté, a été durement touchée par les révélations de la commission Cliche sur la corruption de certains de ses syndicats affiliés. En collaborant avec le gouvernement Lévesque, elle tente de se refaire une virginité. Mais la collaboration avec le pouvoir est une vieille habitude à la F.T.Q., et c'est aussi ce que la commission Cliche a dévoilé. Formée de sections locales de syndicats dits internationaux (c'est-à-dire américains), la F.T.Q. a toujours privilégié le gompérisme (la concertation entre le capital, la force ouvrière et l'État). Sous l'administration Bourassa, M. Louis Laberge, n'hésitait pas à qualifier d'« ami » le ministre libéral du Travail, Jean Cournoyer, à qui la F.T.Q.-Construction fournissait de solides et redoutables « travailleurs d'élections ». Depuis le 15 novembre 1976, le même Louis Laberge offre son amitié au successeur péquiste de Jean Cournoyer. Cette « amitié » ressemble à celle que le courtier d'assurances éprouve envers ses clients. Elle ne se conçoit que par ce qu'elle rapporte. Elle n'a pas de sentiment, elle n'a que des intérêts.

On a vu, lors du fameux sommet de La Malbaie, Louis Laberge donner publiquement l'accolade au patronat (représenté par Paul Desmarais, président de Power Corporation) et à l'État (représenté par le premier ministre René Lévesque). C'était une scène vraiment touchante. Le ministre Landry, aussi bonasse que prétentieux, s'écria aussitôt devant les micros de la presse : « Un sommet, les amis, c'est cela ! » Quant aux ouvriers de la Wayagamack, qui assistaient à la scène, ils seraient, le 15 octobre 1977, condamnés au chômage par Paul Desmarais. Les tapes dans le dos de Louis Laberge n'ont pas sauvé l'usine Wayagamack et, comme le reconnaissait Fernand Daoust, le 29 septembre dernier, elles n'ont pas empêché le gouvernement Lévesque d'avouer « son impuissance devant les compagnies multinationales». Un sommet, c'est cela: le plus fort ne cède jamais.

Face aux contradictions qui caractérisent les démarches syndicales, les travailleurs québécois affichent un désabusement qui n'a d'égal que leur mépris pour les politiciens de profession. Ils subissent le syndicalisme d'affaires (formule Rand, cotisations prélevées à la source et bureaucratie) avec le même fatalisme qu'ils « endurent» l'État technocratique.

Comme au sein du Parti québécois, mais depuis beaucoup plus longtemps, le travail d'« organisation» a supplanté dans les syndicats les tâches élémentaires de politisation. La syndicalisation de 30 pour cent des travailleurs québécois n'a pas élevé leur niveau de conscience politique et ne les dirige nullement vers l'autogestion. Le syndicalisme d'affaires les maintient, au contraire, dans la passivité et l'infantilisme. Contrairement à ce que soutenait Jacques Lazure en 1972, les forces syndicales du Québec n'ont pas quitté « l'univers de la modernité industrielle pour pénétrer dans celui de la libération nationale»[79] et sociale. L'entrée en scène du front commun dans le secteur public n'a opéré aucun changement majeur dans la pratique syndicale traditionnelle qui, tout au plus, s'adapte à l'évolution du capitalisme. On est loin, très loin, de cette stratégie, perçue par Lazure il y a cinq ans, et qui devait « entraîner une accélération très rapide de l'histoire du Québec», en le conduisant à la fois à l'indépendance et au socialisme.[80]

Bien sûr, comme le soulignait aussi Jacques Lazure, le Parti québécois et les syndicats « se débattent avec une destinée qui ne peut être que socialiste et, partant, de caractère révolutionnaire ».[81] Mais cette destinée, ils la refusent conjointement et ils se condamnent, en dépit de rhétoriques d'occasion, à ne pas sortir du système actuel. Ils se condamnent à *négocier* tout au plus un réaménagement des pouvoirs et des inégalités déjà institutionnalisés.

Ce n'est pas simplement en créant d'en haut, éventuellement, un « parti des travailleurs » (comme en 1958 fut fondé l'éphémère Parti socialiste du Québec) que le mouvement syndical sortira de son réformisme et pourra combattre le vide politique que ce réformisme entretient depuis des décennies. Ce n'est pas non plus en faisant la chasse à l'extrême-gauche ou encore en investissant davantage dans la publicité.

Il faudra d'abord que les syndicats optent carrément pour une transformation radicale de la société et n'hésitent pas à proposer aux travailleurs les tâches ardues de cette transformation. Sans politisation, sans éducation des masses, ces tâches sont irréalisables. Si, comme le soutiennent le fédéraliste Marcel Pepin et l'indépendantiste Jean Gérin-Lajoie, les travailleurs du Québec (90 pour 100 de la population) ne doivent à aucun prix prendre le risque d'une « aventure », il est certain que jamais les syndicats québécois ne seront à l'avant-garde de la lutte pour l'indépendance et le socialisme.

On se trouve dans une situation désespérante. D'un côté, les syndicats reprochent au gouvernement Lévesque d'être trop timide en matière économique. D'un autre côté, ils refusent eux-même d'engager leurs troupes dans une remise en question du système économique qui pourrait impliquer ce « gros prix à payer »[82] que coûte une révolution. La défense du pouvoir d'achat et de la sécurité d'emploi, à quoi se résume l'essentiel de l'action syndicale au Québec, ne touche ni au mode de production ni au mode de vie : elle exige, au contraire, leur maintien, c'est-à-dire, en clair, la pérennité du capitalisme américain.

Si le monde ouvrier se montre incapable de dépasser le syndicalisme d'affaires et si, dans un même temps, le Parti québécois refuse d'affronter l'impérialisme et ses multinationales, aussi bien admettre une fois pour toutes que le Québec ne sortira ni de la Confédération canadienne ni du capitalisme. Aussi bien avouer qu'un Québec libre est un Québec impossible.

On ne voit pas, en effet, comment le Québec pourrait réaliser son indépendance politique et économique en demeurant enfermé dans les structures actuelles qu'impose la croissance de la production (du produit « national » brut) et de la consommation.

Il existe une différence fondamentale entre gagner plus et vivre autrement. Les syndicats ne l'ont encore ni comprise ni exprimée. Ils n'ont pas encore vu que le capitalisme déborde largement le champ de l'entreprise, qu'il monopolise (directement ou par l'intermédiaire de l'État) les transports, l'habitation, l'environnement, l'information, la culture, l'éducation, la santé, la consommation, les loisirs, la politique. Bref, qu'il domine le cadre de vie tout autant que le milieu de travail.

L'approche globale que les syndicats reprochent au gouvernement Lévesque de négliger, ils la refusent eux aussi.

En Europe occidentale, les dirigeants syndicaux commencent à se rendre compte que « le discrédit des partis politiques traditionnels, de la politique de parti et des combinaisons électorales et parlementaires, place le mouvement ouvrier devant la tâche de construire une force politique *d'un type nouveau* dont la politique de masse préfigure le dépassement d'un ordre caduc et l'avènement de l'autogouvernement populaire ».[83] Ici, au Québec, cette tâche implique en même temps la libération nationale.

On est loin, hélas, de ce type nouveau de force politique. Au contraire, les syndicats québécois semblent n'avoir aucune capacité de diriger, d'orienter et de coordonner les luttes qui s'imposent. Par le fait même, ils deviennent de plus en plus le reflet de la désintégration de la classe ouvrière, désormais différenciée par des intérêts catégoriels et corporatifs immédiats et parfois conflictuels. L'expérience du front commun le démontre avec éloquence. La division s'est accrue au sein du mouvement syndical (en particulier au sein de la C.S.N.) en dépit des appels à la solidarité. Aucune phraséologie unitaire ne saurait masquer la création de la C.S.D. et la multiplication des syndicats indépendants. Aucun manifeste triomphant ne remplacera l'expérience amère des travailleurs de la United Aircraft, de la Wayagamack, de Robin Hood, etc.

On a vu plus haut que le P.Q. ne peut réaliser ses objectifs sans l'appui des syndicats. Mais le P.Q. tient à traiter les syndicats « avec distance » parce qu'il ne leur devrait rien.[84] Les centrales syndicales, malgré la courtisanerie un peu trop voyante d'un Louis Laberge, se doivent, elles aussi, de garder leurs distances vis-à-vis du P.Q. qui, à leurs yeux, n'aurait pas été élu pour opérer de grands changements. D'un côté comme de l'autre, on se condamne ainsi à l'immobilisme... et à l'opportunisme, pendant que les milieux d'affaires et le pouvoir central se préparent à imposer leurs propres priorités à tout le monde.

C'est peut-être ce que la F.T.Q. admet sans le dire et qui expliquerait le fait que, tout en courtisant le gouvernement Lévesque, elle ait accepté des subventions fédérales destinées à la formation de ses «cadres» syndicaux. Ainsi donc, «L'État, rouage de notre exploitation», contribuera désormais à *l'instruction* de la bureaucratie syndicale! Comment cette bureaucratie pourrait-elle songer à abattre un État aussi généreux?

«La ligne du risque», autrefois défendue par Pierre Vadeboncœur, n'est plus pratiquée que par Michel Chartrand et quelques minoritaires comme lui pour qui la liberté ne se marchande pas, mais se prend.

## Chapitre VIII

# L'APOLITISME DE LA JEUNESSE QUÉBÉCOISE

La jeunesse n'est ni un parti ni un mouvement. Elle n'a pas la vocation de *gouverner*. Sa principale préoccupation est d'apprendre à se gouverner elle-même dans une société où elle ne trouve ni sa place ni son identité sociale, dans une «civilisation» qui lui apparaît sans avenir et qui n'offre à personne un recours véritable contre le désespoir, une alternative à la catastrophe planétaire qu'anticipent les écologistes et les néo-mystiques.

On dit la jeunesse d'aujourd'hui «apolitique», individualiste, *asociale*.[85] Les partis politiques, y compris le P.Q., tentent en vain de la motiver, de la récupérer plutôt, en prenant soin, toutefois, d'écarter ses idées, son dynamisme propre, ses espoirs et ses angoisses. Quant aux centrales syndicales, elles s'en foutent: après tout, les jeunes sont souvent chômeurs ou instables, donc difficilement syndicalisables et peu rentables au chapitre des cotisations obligatoires.

D'ailleurs, les jeunes renvoient spontanément dos à dos l'État et la bureaucratie syndicale. Tous deux leur apparaissent abstraits, dominateurs, étrangers au peuple, niveleurs, insensibles et bêtes. «Il n'y a rien là», répètent-ils.

Les questions qui intéressent les jeunes sont celles que posent les écologistes et que refusent d'entendre les mandarins de la gestion technocratique. Ces questions ont été admirablement bien résumées dans un récent numéro du *Sauvage*. [86] Elles s'adressent aussi bien aux bureaucraties syndicales qu'aux professionnels de la politique, qu'ils soient de gauche, de droite ou du centre. Elles leur demandent, entre autres : « Allez-vous bientôt traiter des vrais problèmes de notre société ? Allez-vous arrêter le gâchis de la société industrielle ? Allez-vous donner envie aux jeunes d'entrer dans le jeu social plutôt que de se droguer de désespoir ? Allez-vous finir par entendre les cris exprimés en leur nom par les Janis Joplin et Jimmy Hendrix ? Leur donnerez-vous autre chose que le goût de fuir ou de tuer ?

« Allez-vous arrêter immédiatement les programmes nucléaires civils et militaires, qui menacent radicalement la poursuite du phénomène de la vie sur notre planète ? Allez-vous cesser d'hypothéquer la société avec des projets comme celui de la baie James ?

« Allez-vous cesser d'imposer au Tiers Monde des modèles de développement qui accélèrent la ruine des sols et des hommes ?

« Allez-vous renoncer à ces bureaucraties centralisées qui, de l'État aux multinationales, dévorent les individus ?

« Allez-vous enfin choisir la vie et la liberté au lieu du gigantisme, de l'économisme, de la productivité tous azimuts, de la technocratie ? »

Ces questions, on le constate tous les jours, n'intéressent guère « la classe politique ». Bien sûr, on admet, sans y croire, les risques du nucléaire. Mais, d'un même élan, on applaudit à la construction de la bombe à neutrons. On déplore le gaspillage d'énergie mais, le même jour, on promet la construction de nouveaux barrages hydrauliques. On s'apitoie sur la piètre qualité de la vie en société mais, en feignant de ne point se contredire, on confond l'esprit civique avec le conformisme. On parle de «démocratiser» la politique pendant que la démagogie instaure le «fascisme ordinaire». Tout en usant de la rhétorique engendrée par le mouvement écologiste, «la classe politique» refuse obstinément de reconnaître qu'il n'y a aucun moyen de sortir de la crise contemporaine si l'on ne change d'abord le type de développement. Même l'extrême-gauche reste sourde. Pour elle, l'écologisme est petit-bourgeois. Lorsqu'il s'agit de véritable révolution — et non d'un changement de vocabulaire —, les appareils politiques, de l'extrême-droite à l'extrême-gauche, lui opposent un même refus, un même aveuglement, une même catastrophique ignorance.

Les écologistes sont les seuls aujourd'hui à maintenir vivant l'espoir des jeunes et celui de leurs aînés qui refusent de faire confiance au nucléaire, qu'il soit chinois ou américain, aux programmes globaux de planification technocratique, qu'ils soient de gauche ou de droite, aux indépendantismes «tranquilles» qui ne procèdent pas d'une option autogestionnaire.

Comment donner tort aux jeunes de ne pas se sentir *liés* au souvenir des batailles passées qui ont conduit le monde au seuil de l'apocalypse? Comment leur reprocher leur volonté de *ne pas appartenir* à cette histoire qui s'est séparée de la réalité et de l'existence des hommes pour aboutir à l'oppression généralisée des individus et des peuples? Comment pourraient-ils, sans renier ce qu'ils ont de meilleur, se placer sur «la même longueur d'ondes» que les partis et les syndicats d'affaires qui refusent de contester *à sa base* le système de production, qui font du travail aliénant et de la consommation obligatoire de marchandises un destin irréversible, qui s'acharnent à mesurer en dollars la valeur des gens et des collectivités?

Si les jeunes Québécois sont beaucoup plus nombreux aux spectacles de Pink Floyd et à ceux d'Emmerson, Lake and Palmer qu'aux meetings du P.Q., c'est qu'ils aspirent majoritairement à un changement radical de vie. Sans programme globalisant, sans Bible, sans parti, sans leader charismatique, ils poursuivent un ensemble d'objectifs partiels qui, pour eux, sont autant de préalables à la construction d'une société libérée. Ils croient aux « indépendances » de base, comme dirait Vadeboncœur, plutôt qu'à l'indépendance de l'État.

Les plus *engagés* reviennent aux choses fondamentales, immédiates et directes : « La défense de la ferme, de la commune, du paysage contre l'irruption violente de l'État avec son armée, ses pylônes électriques, ses centrales nucléaires ; la défense du dernier réduit de vie privée, de sensibilité, de désintéressement, d'amour contre l'abêtissement niveleur par le travail, la consommation, les médias ; le refus de laisser humilier et infantiliser les femmes, les malades, les vieillards, les enfants, les fous, les minoritaires, les révoltés ; le refus en toute chose du gigantisme qui engendre la spécialisation et la hiérarchie, l'impossibilité de comprendre ce qu'on fait et de contrôler ce que vous font faire les autres. »[87]

Qu'on l'admette ou non, tout cela procède d'un projet de société, malgré l'éparpillement actuel des expériences et des luttes.

Au Québec, il n'existe pas encore un mouvement écologiste comparable à ceux qui se sont développés aux États-Unis, en Allemagne, en Italie et en France. Mais déjà l'écologie, chez les jeunes les plus conscients, a pris la succession du nationalisme et du socialisme traditionnels. *Mainmise* a, depuis longtemps, pris la relève de *Cité libre* et de *Parti pris*. En reprenant à son compte « l'utopie et le désir », *Mainmise* a supplanté, chez les jeunes, les revues et les idéologies (libérales ou gauchistes) qui les avaient sacrifiés allégrement aux dialectiques contestables du processus historique.

En 1960, les jeunes Québécois formaient la base agissante du mouvement indépendantiste. Depuis 1970, ils se sont détachés de l'action politique du Parti québécois pour s'enraciner dans un territoire de dimension humaine (ferme, village ou quartier) et combattre l'aliénation au sein de groupes plus proches d'eux et de leurs préoccupations quotidiennes, comme les femmes, les «contre-culturels», les écologistes, etc. Bien sûr, un certain nombre a sombré dans la «redécouverte» d'un christianisme réactionnaire, castré et dépressif. D'autres ont plongé tête première dans le cynisme et l'opportunisme. Mais le grand nombre a choisi ce que Marcuse nommait «l'existence pacifiée».

Ce choix, qui ne repose sur aucune organisation politique ou syndicale, qui n'a aucune base sociale précise et stable, qui n'a, de surcroît, aucune responsabilité socio-économique et qui, enfin, veut transcender les classes et les barrières de classe, apparaît comme apolitique aux yeux des idéologues patentés. Or, ce choix, méprisé d'en haut et souvent envié, est imminemment politique, puisqu'il procède essentiellement du besoin de vivre autrement, de changer la vie, comme disait Che Guevara.

Face à une société de consommation qui, au Québec comme ailleurs, n'offre que la désolante perspective d'un désert, sans l'espoir — malgré le P.Q. — d'aucun lendemain qui chante, le choix des jeunes et des écologistes, rompant avec le mensonge et la démagogie institutionnalisés, est plus foncièrement politique que l'option assez nébuleuse de la souveraineté-association, de «l'indépendance si nécessaire mais pas nécessairement l'indépendance».

Mais les «vieux» et les «professionnels» de la politique ne peuvent pardonner à ce choix de se faire en dehors des structures et des systèmes établis. Ils cherchent à le récupérer, à l'encadrer, à l'orienter, afin qu'il serve, lui aussi, à cautionner des arguments d'autorité, des stratégies de pouvoir, des mécanisations « rationnelles » du comportement individuel et collectif. Car *la discipline* constitue l'alpha et l'oméga de la domestication du peuple. En rejetant cette discipline et en lui substituant des convictions d'ordre éthique, les jeunes (du moins, bon nombre d'entre eux) servent la cause de la liberté plus efficacement que les socialistes qui, après 150 ans d'un discours mécanique et saturé, en sont arrivés en Occident à collaborer au sauvetage d'une démocratie vermoulue et dominée par des arrivistes.

Ils servent la cause de la liberté plus efficacement aussi que les ministres du gouvernement Lévesque que la peur de faire peur empêche de bouger ou bien pousse à mal bouger.

Doivent-ils pour autant s'interdire de participer au débat par lequel l'avenir politique ou constitutionnel du Québec est en train de se décider? Est-il indifférent que nous vivions demain dans un Québec indépendant ou dans une nouvelle Louisiane? Peut-on s'enraciner véritablement dans un pays à la dérive? Peut-on servir à long terme la cause de la liberté en s'abstenant de lier son sort, son destin, à celui du peuple dont on fait partie? Ou bien doit-on, à tout jamais, renoncer à parler de la nation, à s'engager au nom de la nation, à s'identifier à une nation?

Il est vrai que nation québécoise et Parti québécois ne coïncident pas. Il est vrai également que la stratégie d'un parti politique contredit souvent la liberté des individus et des groupes. Il est vrai qu'un choix manichéiste entre la nation et des convictions personnelles, au nom d'une situation historique donnée, ne constitue pas nécessairement une option progressiste.

Il est vrai, de plus, qu'il n'y a pas moyen de réconcilier «l'utopie et le désir» avec les louanges péquistes du progrès technique et économique qui ne transforme la nature et les hommes que pour les détruire à une vitesse de plus en plus accélérée. Il est vrai enfin que l'option fédéraliste du Canada anglais n'est pas non plus un choix.

Parce que le P.Q., comme on l'a souligné plus haut, s'oriente vers une impasse, doit-on préférer au pragmatisme sénile du gouvernement «le pessimisme créateur» de la ferme écologique? Doit-on faire du refus global l'unique motivation de notre existence? Doit-on réhabiliter l'anarchisme et le placer au-dessus ou en dehors de toute autre considération, y inclus l'avenir politique du Québec?

J'avoue préférer la fonction politique et éthique de l'anarchisme (celui des Espagnols des années 1930, par exemple) à la «programmation» bureaucratique qui prétend à Québec nous conduire tranquillement à la souveraineté du travail et de la consommation *francisés*. Ceci dit, n'y a-t-il pas moyen de créer une alternative politique à la machine gouvernementale et au technofascisme de type «1984»? Devons-nous attendre l'échec du P.Q. pour bâtir *autre chose?*

Sans les écologistes, les jeunes, les femmes, les marginaux, il n'y a pas moyen de donner une assise politique à un nouveau projet, à une alternative réelle. Mais comment le faire sans, du même coup, tendre à devenir politiquement hégémonique et dominant? Vaut-il mieux alors, comme le suggèrent certains, pousser les partis et les gouvernements en place à intégrer dans leurs programmes certains objectifs partiels, comme la dénucléarisation, la dépollution, la libération des femmes, le respect des minorités, la légalisation de la marijuana? Cette intégration, toutefois, ne risque-t-elle pas de se réaliser au profit des classes dominantes et de n'apporter que bien peu de satisfaction à la base?

La majorité des jeunes ne font confiance ni à la gauche ni à la droite. D'ailleurs, ils ne sont guère écoutés par les appareils qui, au contraire, les exploitent et les infantilisent chaque fois qu'ils mettent la main dessus. Au Québec, il n'existe plus aucun «dialogue» entre les jeunes et le pouvoir. Ce dernier parle le langage de l'efficacité, de la concertation et de l'ordre; la jeunesse parle celui de la paresse, du refus de l'asservissement, du plaisir *gratuit,* de la contre-culture. Rentabilité d'un côté, folie de l'autre.

La jeunesse n'a rien à faire de la baie James et du Palais des Congrès. Elle assimile le budget du Québec, qui atteint $11,505,000,000.00, à un fantastique gaspillage. Elle se moque des sommets économiques que convoque chaque quinzaine le ministre Bernard Landry. Elle trouve minables les politiques culturelles du ministre Louis O'Neil. Elle est fatiguée des rides tourmentées de René Lévesque et de la béatifique arrogance de Jacques Parizeau. Elle rigole aux exploits sportifs et amoureux de Pierre Trudeau. Elle est écœurée de relire quotidiennement dans les journaux que la moindre contestation constitue un crime parce qu'elle empêche l'histoire de tourner en rond, les hommes politiques de dormir en paix et les capitalistes d'augmenter leurs profits.

Comme un peu partout en Occident, la jeunesse québécoise se détourne avec dégoût ou avec mépris de «la grande politique». Mais sa prise de conscience, à la fois confuse et immense, va bien au-delà du refus des partis traditionnels. Elle se pose, et pose au monde entier, des questions fondamentales sur le destin de l'humanité. Elle sait que la société humaine, arrivée au bout d'une croissance industrielle sauvage, est acculée

à un choix décisif entre la barbarie totalitaire et nucléaire et «l'existence pacifiée» dont les petites communautés de base proposent le modèle.

Or, ni la gauche (fût-elle chinoise) ni la droite ne
prennent en charge cet enjeu qui est autant ontologique
que politique et social. Jamais la politique des grands
n'a été à ce point dépourvue de philosophie et d'éthique. La politique souverainiste du gouvernement Lévesque ne fait pas exception. Et ce n'est sûrement pas
la faute des jeunes ni celle des écologistes si «la question du Québec» est posée au moment où le monde entier est parvenu au «carrefour du choix» entre le Gou-
lag et la liberté.

Comment les jeunes pourraient-ils croire en un
«Québec libre» qui serait un chantier de producteurs
rivés à leur niveau de vie comme des esclaves aux
ordres de leur maître? Comment pourraient-ils s'en-
thousiasmer pour une liberté fictive qui donnerait à
quelques-uns l'illusion de négocier avec les Américains,
les Européens et les Canadiens anglais (pour ne rien
dire des Soviétiques) la décomposition de l'Occident
industrialisé?

Il n'y a pas moyen de changer la vie sans casser
l'ensemble du système. Il n'y a pas moyen de casser
l'ensemble du système en prenant pour acquis, comme
le fait le P.Q., qu'il est sacré ou encore qu'il est, par
nature, irréversible. Les jeunes pourraient être tentés
par le courage; ils ne le seront plus jamais par les
raisons du conservatisme.

Pour les hommes lucides, l'espoir se fait de plus en
plus mince. Mais il n'est pas encore tout à fait mort.
Ce seront peut-être les jeunes qui, d'une manière imprévue, le ressusciteront. Je ne vois pas qu'il puisse
venir d'ailleurs. Même si tout le monde répète au Québec que «les jeunes ne foutent rien». Car sur le banc

de sable de l'utopie, ils risquent au moins «la vie à
venir» (Shakespeare).

**Chapitre IX**

# LE FAUX NEUTRALISME
# DE LA PRESSE

Dans le cadre du débat suscité par l'arrivée au pouvoir du Parti québécois, il n'y a que la presse anglophone qui soit franchement politisée. Elle est *contre* le séparatisme et ne répugne pas aux opérations de terrorisme politique pour convaincre les Canadiens de s'engager dans la guerre sainte. Les sondages et les analyses tronquées de la société Goldfarb Consultants, diffusés en septembre par 21 quotidiens, en constituent d'excellents exemples. La presse québécoise a beau dire que de tels procédés s'apparentent aux films d'horreur, polluent l'information et empoisonnent le «climat politique», il demeure que les journalistes anglophones affichent ouvertement leurs convictions et, par conséquent, leurs préjugés. Ils ne sont pas «gênés» d'afficher leurs couleurs. Ils ne sont pas neutres et n'entendent pas le devenir. Pour eux, René Lévesque est moins le premier ministre du Québec qu'un *ennemi à abattre*. À moins de prétendre que le Canada ne traverse aucune crise et que l'indépendantisme québécois n'est qu'une philosophie parmi d'autres, ce comportement est tout à fait normal. Ce qui l'est moins, c'est le comportement opposé des journalistes québécois.

En effet, la presse québécoise, par principe, n'est ni pour ni contre le séparatisme. Elle se dit neutre et se veut *objective*. L'avenir du Québec et celui du Canada ne sont pas ses «affaires». Cette «objectivité» de principe est celle des journalistes, des salariés de l'information de masse. Leurs patrons, eux, sont moins réservés. Plus proches des anglophones, par intérêt et par habitude, les patrons ne sont pas neutres. En grande majorité hostiles au gouvernement Lévesque et au projet de sécession, ils épousent sans nuances l'idéologie des milieux d'affaires tout en se flattant de se dissocier des « manipulateurs de panique ». Après tout, ils sont francophones et demeurent sensibles au racisme dirigé contre leurs compatriotes. Mais là s'arrête la distinction entre les patrons de la presse francophone et ceux de la presse anglophone. Sur le fond, ils participent d'une même opposition ou d'une même agression (suivant le point de vue d'où l'on part).

Le meilleur exemple de cette connivence est M. Claude Ryan, directeur du *Devoir,* à qui ne répugnerait pas la succession de Robert Bourassa. Jamais, depuis le 15 novembre 1976, le directeur du *Devoir* n'a manifesté autant d'acharnement à combattre un gouvernement québécois ni autant de complaisance rampante à soutenir les thèses des milieux d'affaires et du pouvoir central. La politique éditoriale du *Devoir* est devenue la caution des libéraux. Peut-être est-ce parce que, pour la première fois depuis 1960, *Le Devoir* se retrouve dans l'opposition au Québec?

Les patrons de *La Presse* et ceux du *Soleil* sont aussi farouchement fédéralistes que Claude Ryan. La seule feuille pro-péquiste se nomme *Le Jour,* mais elle est tellement dépourvue de tout esprit critique et d'imagination que son contenu idéologique voisine le néant. Les partisans du fédéralisme peuvent se vanter de *monopoliser* les médias.

Les journalistes salariés sont pourtant, en forte majorité, favorables à l'indépendance. Mais ils ont convenu d'afficher une neutralité naïve par crainte de se voir accusés par leurs patrons et par le pouvoir central de *politiser* le débat. La syndicalisation protège leurs salaires et leur sécurité d'emploi mais ne leur a pas encore fourni les armes du militantisme. Ils *observent* de leur mieux les péripéties d'un duel où seuls les hommes politiques auraient un combat à livrer.

Au Québec, le journalisme militant est incompatible avec « la profession ». Il ne saurait s'exercer qu'en marge des grandes entreprises de presse. Et le syndicalisme est là pour faire en sorte que les intérêts de la profession ne soient pas compromis par ce journalisme « idéologique » qu'on n'est pas loin d'assimiler au jaunisme. Utiliser les médias de masse à des fins politiques ne serait rien de moins qu'une hérésie, voire une atteinte à la démocratie. Bref, de la sédition.

La politisation de l'information apparaît aux journalistes québécois comme une négation de leur « vocation » d'informateurs objectifs, neutres, condamnés au reportage.

Les journalistes anglophones n'ont pas de tels scrupules et l'agressivité qu'ils manifestent ouvertement à l'endroit du gouvernement Lévesque n'est que l'expression de leur *engagement* en faveur du fédéralisme et de « l'unité canadienne ».

Les journalistes québécois, au contraire, ne sont pas engagés... par profession. Péquistes, ils font comme s'ils ne l'étaient pas. (Certains se sont même déjà demandé s'il ne fallait pas désyndicaliser la profession journalistique pour que le journaliste soit plus objectif lorsqu'il traite de questions syndicales !) Cette fausse objectivité condamne les journalistes à renoncer purement et simplement à leurs options personnelles tout en légitimant les apparences de leur bonne conscience. On recourt au mythe-alibi de la « neutralité » pour, en fait, préserver son emploi, sa « respectabilité » (aussi nommée « crédibilité »), ses « sources », son nom, ces privilèges que procure « le quatrième pouvoir » en échange du neutralisme objectif.

Sans le savoir, les journalistes apportent ainsi leur caution à l'idéologie du plus fort. Plus grave encore, ils réduisent leur rôle social à celui d'agents plus ou moins passifs d'un affrontement politique qu'ils observent et subissent *sans toujours le comprendre* et que, par conséquent, ils s'interdisent d'*expliquer* aux citoyens (qui, eux, ne sont jamais neutres ni objectifs).

Cette situation, délibérément entretenue, crée une rupture tragique chez le journaliste : d'une part, elle coupe l'individu (que demeure le journaliste) d'avec lui-même en le rendant incapable de totaliser sa propre expérience sociale et culturelle et par là, de juger, à son propre niveau et avec une entière liberté, de questions qui, comme celles de l'indépendance et du socialisme, le concernent au plus haut point ; d'autre part, elle le coupe de la collectivité, de son histoire et de ses choix. Elle le détache donc de la réalité pour le transformer en un simple rouage interchangeable de l'efficacité technique de l'information de masse.

Le journaliste, ainsi neutralisé, se retrouve dans l'incapacité « consentante » d'appréhender les dimensions exactes des problèmes qui sont ceux de la collectivité et, partant, les siens.

Ce n'est pas un hasard si au Québec il n'existe aucune pratique journalistique comparable à celle que l'on retrouve, par exemple, à l'*Observer*, au *Monde*, au *New York Times* ou au *Washington Post*. Ce n'est pas non plus un hasard si le journalisme d'opinion et de combat n'a pratiquement aucun droit de cité au Québec.

Cette carence relève de l'institutionnalisation de la rupture entre le journaliste et le citoyen, entre l'information et la politique. Elle se traduit par une pratique démobilisatrice et réifiante qui constitue *la valeur-refuge* du comportement neutre, régressif, se résumant le plus souvent dans la manipulation des « gadgets » que sont les manchettes et les photographies spectaculaires.

Le journalisme québécois, en refusant l'engagement, intronise en somme l'abdication. Loin de diffuser une information sérieuse et *cohérente,* soucieuse d'éduquer les citoyens en leur donnant les moyens de comprendre la portée réelle des phénomènes (comme celui du nationalisme, par exemple), il résorbe l'information dans la ou les nouvelles du jour, celles qui, à défaut d'éclairer la population, peuvent surtout l'émouvoir en provoquant des réactions affectives.

Le sensationnalisme est une mystification permanente. Une mystification aux conséquences graves car, par son obscurantisme, elle ne donne rien à comprendre, comme ces fameux sondages réalisés par la firme Goldfarb de Toronto et que *La Presse* a surdramatisés pendant une semaine. Le sensationnalisme que recherchent les médias ne fait que renforcer dans les masses l'ignorance, le sentimentalisme et l'impuissance. Le *Journal de Montréal, Télé-Métropole,* des stations radiophoniques dites « populaires », comme C.J.M.S. et C.K.A.C., ont érigé cet obscurantisme en véritable système d'information. Mais à peu près partout, ce système (technique) de l'information — et du divertissement — se confond avec l'information du système (social).

Le neutralisme des journalistes renvoie donc à *la politisation de l'information et de la culture par le système et dans l'intérêt du système.* Le neutralisme apporte son soutien au statu quo. Les « opinions personnelles » des journalistes, jamais ou très rarement exprimées, ne servent à rien ni à personne.

En ce sens, le journaliste est un citoyen *très or-dinaire :* comme l'ensemble des citoyens, il n'a pas de discours. Il privilégie le règne de la nécessité et récuse l'ère de la liberté. Comme la majorité *silencieuse,* il ne dit ni oui ni non à son destin ; il attend qu'*on* le décide pour lui. *On,* c'est-à-dire le pouvoir, l'État et le capital.

Soumis aux règles du jeu commercial des entre-prises de presse, le journaliste est un mystificateur-mystifié que ni l'instruction ni la syndicalisation ne libèrent de l'improvisation au jour le jour. Il ne pour-rait sortir de ce cercle vicieux que par l'exercice de ses responsabilités politiques et sociales. Hélas, un tel exercice est perçu par lui comme une hérésie profes-sionnelle, sinon une trahison. C'est pourquoi il ne s'en sort jamais.

Pareille situation aurait été incompréhensible en France durant les guerres d'Indochine et d'Algérie, ou encore durant l'occupation allemande. Au Québec, c'est une situation qui apparaît *normale* aux journa-listes eux-mêmes. Pensez-vous qu'ils déclencheront la grève si jamais le pouvoir central décidait de procla-mer à nouveau la *Loi des mesures de guerre* et de faire intervenir l'armée au Québec ? Non, ils feront des man-chettes avec les personnes incarcérées et avec les dis-cours « démocratiques » de Pierre Trudeau. Après tout, ils *observent* le monde, ils n'en sont pas.

Inutile d'insister sur le fait que l'auto-censure est au Québec une pratique aussi courante que le sensa-tionnalisme. Le choix absurde de la neutralité impli-que celui de l'auto-censure. Car il est difficile de de-meurer neutre, surtout en période de conflit et d'af-frontement, sans amputer sa conscience et sa liberté. Sans amputer les faits également.

Quelle aubaine pour les puissances tutélaires qui se sont investies du rôle de présider à nos destinées que ce neutralisme décapant ! Rien ne peut mieux servir leurs intérêts idéologiques et économiques que cette passivité « pure ».

Bien sûr, les autorités fédérales, que l'option indépendantiste conteste directement, continueront de prétendre que la radio et la télévision d'État (réseau français) servent mal la cause de l'unité canadienne. Mais ce sera d'abord pour justifier une manipulation plus directe et *plus efficace* de Radio-Canada par le gouvernement central. Ottawa en a moins contre les journalistes que contre l'insuffisance de la systématisation technique de *son* information. Il vantera de plus en plus les mérites d'une information spécifiquement technico-professionnelle, qualifiée de seule information objective. Mais cette information technico-professionnelle-objective recouvrira en fait une action typiquement et exclusivement socio-politique, fédéraliste et capitaliste. Les journalistes, piégés et aveuglés par le mythe de la neutralité objective, n'y verront rien.

Si jamais un jour les technocrates du Parti québécois réussissent à nationaliser le réseau de Radio-Canada, ils ne procéderont pas autrement. Et là encore, les journalistes n'y verront rien.

Cautionnant l'idéologie technocratique, qui caractérise tous les appareils politiques des sociétés industrielles, le journalisme quotidien adhère sans le savoir au fait que, de plus en plus, les hommes sont gouvernés comme les choses sont administrées. L'information devient ainsi, au Québec comme ailleurs, un élément de domination économique, sociale, politique et culturelle, un prolongement du potentiel productif dont elle endosse les méthodes de déshumanisation. Cela ne l'empêche pas d'être *sensible* aux grands problèmes de l'heure ni de verser des larmes à l'occasion. Mais son éthique se résume à une philosophie portative de lieux communs à résonance humaniste ou hu-

manitaire. Ces lieux communs servent aussi bien à
« déplorer » la famine au Sahel que la mort acciden-
telle d'un policier. *On s'apitoie* de la même manière
sur le sort de l'Afrique que sur celui des victimes
de la route.

On comprend facilement la fascination qu'exerce
chez les journalistes la « révolution » soi-disant provo-
quée par « le choc de l'électronique et de la technologie, en particulier des ordinateurs et des communications ». On peut avoir une bonne idée du caractère
impérialiste de cette « révolution » en lisant le livre du
futurologue Zbigniew Brzezinski, *La révolution techno-
tronique,* et dont le leitmotiv est qu'il n'existe point
de salut pour l'humanité en dehors de la technologie
et des valeurs américaines.

Lorsque, en septembre dernier, Radio-Canada a
célébré ses vingt-cinq ans d'information télévisée, on a
pu assister à un éloge édifiant de *la technique* dont
on aurait pu croire qu'elle avait pour fonction de *commander* les changements politiques et l'évolution de
l'histoire. Le message était clair : les techniques de plus
en plus sophistiquées de l'information de masse constituent les éléments privilégiés du progrès. En dehors
d'elles, l'information n'est plus possible et, partant,
tout projet nouveau de civilisation.

Il se trouve qu'au Québec les organismes d'information et de communication sont presque tous aux
mains du pouvoir central ou d'entreprises privées
acquises aux thèses fédéralistes. C'est donc l'idéologie
outaouaise qui risque fort d'imposer ses orientations
et ses choix aux consommateurs d'ondes et d'images
que sont les Québécois.

Les médias, de la télévision à la presse écrite,
sont les promoteurs du fédéralisme, du capitalisme
et de l'hégémonie américaine. Il ne peut en être autre-

ment puisque d'une part, la technologie moderne de l'information est directement importée des États-Unis et que, d'autre part, c'est en fonction de l'efficacité maximum de la technologie qu'a été inventée la notion de neutralité journalistique, érigée depuis en un principe sacro-saint. Pour être hautement *efficace*, cette technologie avait, en effet, besoin que le journaliste s'efface devant elle, qu'il devienne un outil malléable, docile, facile à manipuler. Le journaliste, toujours vivant toutefois, aujourd'hui encore personnalisé, deviendrait l'exemple, le modèle du citoyen *informé*, c'est-à-dire du citoyen neutre, finalement indifférent au futur de l'histoire comme à celui de sa propre destinée.

Combien d'années encore avant qu'il ne devienne le portrait-robot de l'homme unidimensionnel anticipé par George Orwell?

Alors que les états-majors de Québec, d'Ottawa et de Washington s'apprêtent à décider pour longtemps de notre avenir collectif, il est navrant que «la classe journalistique» du Québec se comporte en spectatrice passive.

Le droit des citoyens à l'information, si souvent revendiqué par les journalistes, n'implique-t-il pas le devoir de l'engagement? Le refus de l'engagement, comme l'abstention, équivaut à soutenir le statu quo et à emprisonner l'information dans les règles du jeu définies par le pouvoir et par l'entreprise privée.

Un Québec libre sans information libre est impossible. Or, comble de malheur, l'information libre est confondue au Québec avec l'information neutre; bref, avec l'indifférence.

La valorisation de la technique ne va pas sans celle de la «science». C'est sans doute pourquoi les stations de radio et de télévision privilégient les entrevues avec les « experts » : universitaires, savants, spécialistes, techniciens, etc., à qui l'on accorde d'emblée la crédibilité que l'on refuse aux militants. Le savoir est devenu à son tour un pouvoir vénéré comme tel. Même lorsque la question débattue est celle de l'avenir d'un peuple. Douter des experts est un acte sacrilège. Or, les experts aussi se disent neutres en présentant leurs analyses ou leurs commentaires. Et c'est de plus en plus derrière eux que s'abrite l'information.

De 1840 à 1960, le Québec vagissait dans le monde de la mystique théocratique. Aujourd'hui, il se cherche dans le monde renversé de la mystique, le savoir. La religion du savoir commence à y occuper beaucoup de place. Et à mesure que s'étend l'emprise de ce nouveau pouvoir, l'homme cesse de percevoir, à travers la technique et la science, les mécanismes rationalisés de sa domination, de son aliénation et de sa domestication. Il devient incapable de récupérer sa liberté. Celle-ci, de plus en plus objectivée, mesurée, encadrée, ne peut guère se vivre (?) que dans la soumission.

La révolte n'est plus, de nos jours, considérée comme une manifestation de liberté, mais comme une maladie, qui doit être *traitée* avec des techniques « appropriées » qui vont de la récupération à la lobotomie.

Le gouvernement Lévesque est lui aussi mystifié par la valorisation de la science, de la technocratie et de l'expertise. Au sein du cabinet, les ministres-technocrates (les Parizeau, Morin, Landry) sont ceux qui ont le plus de poids. Malheur aux ministres qui ont encore des sentiments. Ils seront vite relégués au statut de « romantiques » que la presse, de son côté, accorde aux révolutionnaires et aux extrémistes.

Comme dans *Le meilleur des mondes* d'Aldous Huxley, seuls les robots sont conformes au modèle «humain» dont rêve la technocratie. Le Québec, en passant du culte de l'orthodoxie ecclésiastique à celui de la technocratie, risque fort de s'interdire la liberté et l'indépendance. Et les journalistes, dans ce processus, sont parmi les premiers à avoir sacrifié non seulement leurs responsabilités politiques mais aussi leur liberté de pensée et d'action. Faut-il se surprendre du fait que le cynisme soit très souvent le refuge des «journalistes de carrière»? Quand l'espoir est désarmé, ou quand il est assimilé à une espèce de romantisme sénescent, que reste-t-il d'autre que le cynisme pour se reconnaître encore vivant, c'est-à-dire pas tout à fait dompté?

**Chapitre X**

# L'ÉCHEC DES RÉFORMES ISSUES DE LA RÉVOLUTION TRANQUILLE

Il était coutume de considérer le Parti québécois, les syndicats, les journalistes, comme un bloc «progressiste». Le pouvoir, pendant dix ans, ne cessa de faire d'eux ses cibles préférées. Et pourtant la vérité est bien différente. Ce bloc que l'on disait à l'avant-garde du changement se révèle, en effet, plutôt conformiste et conservateur.

C'est peut-être ce qui explique partiellement l'échec des réformes issues de la révolution tranquille. Cet échec est lourd de conséquences pour le présent et pour l'avenir. Le gouvernement Lévesque hérite de cet échec mais, loin d'y opposer une action révolutionnaire, il tente désespérément de donner un second souffle aux déboires de la révolution tranquille dont il refuse de tirer les leçons. Il s'achemine ainsi vers la paralysie la plus complète après avoir fait miroiter, en période électorale, son aptitude à construire une nouvelle société. L'impuissance déjà apparente à laquelle il se condamne au plan économique et social ne sera pas vaincue par le nationalisme de ses troupes ni masquée par la guerre que lui livre le pouvoir central. Au seuil des années 1980, vingt années d'échecs consécutifs auront persuadé la majorité des Québécois que la souveraineté est une fiction.

Dans les premières années de son administration, le gouvernement Lesage voulait jeter les bases au

Québec d'un «nouveau type d'économie». À cet effet, il nationalisait les ressources hydrauliques et faisait de l'Hydro-Québec le maître d'œuvre de la libération économique. Il créait un embryon de sidérurgie (Sidbec-Dosco) et d'autres mini-sociétés «nationales» d'exploitation, telles la Société québécoise d'initiative pétrolière (Soquiq), la Société québécoise d'exploration minière (Soquem), la Société d'exploitation forestière (Rexfor), que devaient seconder la Société générale de financement (S.C.F.), la Caisse de dépôts, l'Institut de développement industriel, etc.

L'hostilité ouverte du monde des affaires, et particulièrement des multinationales, à ce nationalisme économique eut tôt fait cependant de compromettre les réformes libérales ou encore de les détourner au profit du capital américain. Quand Robert Bourassa assuma la relève de Jean Lesage, le gouvernement québécois cessa tout à fait de contester l'emprise que les Américains exercent sur l'économie de «la belle province».

Le gouvernement Lévesque aujourd'hui, tout indépendantiste qu'il soit, accepte comme une fatalité l'entreprise et l'investissement étrangers. Il veut bien tenter de rapatrier un peu d'initiative dans certains secteurs marginaux, mais il refuse les nationalisations qui lui fourniraient les moyens de l'indépendance. Comment, en effet, le Québec pourrait-il se donner ces moyens sans nationaliser, par exemple, les sociétés qui exploitent l'amiante, les produits de la forêt, le fer, le cuivre et de larges secteurs de l'agriculture? Il faudrait de plus, comme on l'a vu précédemment, que le Québec exerce un contrôle réel sur le développement de ses ressources hydrauliques et oriente ce développement en fonction de ses besoins plutôt qu'en fonction des intérêts américains.

Par crainte des représailles et de ses conséquences à court terme sur le niveau de vie des Québécois, le gouvernement Lévesque, peu après son arrivée au pouvoir, mettait de côté la plupart des réformes formulées dans le programme du Parti québécois pour se contenter d'une rhétorique moralisatrice. Le gouvernement n'entend plus que « civiliser » l'entreprise, créer un climat de « concertation », soigner ou prévenir les maladies industrielles, « surveiller » de plus près l'évolution des marchés et l'orientation des futurs investissements. C'est à peu près l'actuelle politique économique du gouvernement fédéral. Et, comme ce dernier, le gouvernement du Québec prend soin également de réaffirmer son attachement à N.O.R.A.D. et à l'O.T.A.N., en précisant à l'hebdomadaire *U.S. News and World Report* qu'il s'appliquera à reviser dans le programme du P.Q. tout « excès de style ou de contenu » qui serait de nature à froisser la susceptibilité des États-Unis.

Les militants indépendantistes ne sont donc pas au bout de leurs désillusions. Mais le gouvernement Lévesque « recouvre » ces désillusions en faisant porter au compte d'Ottawa sa propre impuissance. Il prétend, en effet, que le principal responsable de la situation de dépendance économique est le fédéralisme canadien, c'est-à-dire le cadre politique du partage des pouvoirs entre Ottawa et les provinces. Cette explication n'est malheureusement pas la bonne. Car le fédéralisme pratiqué aujourd'hui au Canada ne procède pas d'une société indépendante dont le Québec serait la colonie. Il procède de la colonisation de l'ensemble du Canada par les États-Unis. La sécession du Québec ne rendrait pas les Québécois moins dépendants qu'il ne le sont présentement du capital étranger. Tout comme le Canada, le Québec ne peut se libérer de sa dépendance économique qu'en empruntant la voie de la révolution. On a déjà démontré que la sécession elle-même ne serait possible qu'à ce prix.

Mais le gouvernement Lévesque refuse l'évidence. Il préfère rééditer les échecs déjà encaissés par l'équipe de Jean Lesage.

C'est pourquoi les « sommets » économiques que le ministre Landry multiplie depuis quelques mois ne peuvent accoucher que de vœux pieux.

Il est douteux que de bonnes intentions suffisent à renverser une situation caractérisée, suivant un document de travail préparé à l'intention du gouvernement central, par des « difficultés structurelles (qui) semblent *quasi insurmontables* ».[88]

Qu'on en juge un peu. L'accroissement démographique n'est que de 0.9 pour cent au Québec contre 1.6 pour cent en Ontario et au Canada. La sous-utilisation des ressources humaines engendre un chômage qui dépasse 10 pour cent de la main-d'œuvre disponible et qui, en février 1978, pourrait atteindre 13 pour cent. L'emploi ne progresse annuellement au Québec que de 1.4 pour cent contre 3.2 pour cent en Ontario. En un an, de 1974 à 1975, l'industrie manufacturière a enregistré une perte nette de 21,000 emplois au Québec; le secteur forestier, une perte de 5,000 emplois; tandis que le secteur tertiaire (services publics et privés) connaissait une hausse de 50,000 emplois. La majorité des investissements effectués au Québec, ces dernières années, ont été affectés à des projets dont la rentabilité est douteuse, comme le développement de la baie James, la construction de l'aéroport de Mirabel, la tenue des Jeux olympiques à Montréal en 1976. En même temps, les forêts de la Côte-Nord étaient pour ainsi dire données en cadeau à la puissante I.T.T. Les inégalités interrégionales à l'intérieur du Québec se sont accentuées, alors que la région métropolitaine de Montréal accueille aujourd'hui 46 pour cent de la population québécoise et concentre 53 pour cent des expéditions manufacturières, 50 pour cent des revenus et 47.8 pour cent du commerce de détail. De plus, les industries de biens *non durables* totalisent 65.4 pour cent des expéditions manufacturières contre 45 pour cent en Ontario. Enfin, le Québec possède relativement peu d'industries à technologie avancée.[89]

La révolution tranquille, amorcée en 1960, par «la région du Québec», n'a pas opéré le moindre redressement économique. Au contraire. Fortement concentrée sur des activités de type traditionnel et équipée de machines vétustes, l'industrie manufacturière québécoise est à l'agonie dans de nombreux secteurs. C'est le cas notamment des industries de la chaussure, du vêtement, du textile, du meuble, des pâtes et papiers, etc., qui ont été jusqu'à maintenant les principales génératrices d'emplois.

Quant aux secteurs qui sont qualifiés de «dynamiques», comme l'aluminium, la pétrochimie, la sidérurgie et l'équipement lourd, leur développement échappe aux autorités politiques et est directement dicté de l'étranger.

On ne peut renverser une telle situation par une morale de la concertation et des bavardages au sommet. Mais enfermé dans un système qu'il se refuse à contester, le gouvernement Lévesque ne peut rien faire d'autre. Heureusement, en 1977, les belles paroles n'ont plus le pouvoir magique qu'elles avaient en 1960. Les Québécois ont été trop déçus par la rhétorique pour s'y laisser prendre à nouveau.

La même constatation s'impose dans les domaines «privilégiés» (et de compétence exclusivement provinciale) de l'éducation et des affaires sociales, qui, en 1977, représentent 66 pour cent du budget du Qué-

bec, soit 7,613,611,100 dollars (sans compter les sommes dépensées dans ces secteurs par le pouvoir central), contre 1,609,480,200 dollars à la « mission économique » (dont les transports grugent 50 pour cent) et
2,281,908,700 dollars à l'administration publique.
Comme on le voit, le budget du Québec, qui dépasse
maintenant les 11 milliards de dollars, finance surtout
l'éducation et les services sociaux. Mais ces secteurs,
hypercentralisés et bureaucratisés, principaux responsables du fait que les impôts sont plus élevés au Québec que partout ailleurs en Amérique du Nord, ne
procurent aux Québécois ni satisfaction ni fierté. Ils contribuent au contraire à leur dépendance et à leur aliénation.

L'un des objectifs de la révolution tranquille était
d'impliquer les citoyens dans leur vie sociale, dans la
gestion de services qui se prétendaient « communautaires ». Cet objectif n'a pas plus été réalisé que les
autres. On parle beaucoup de « participation » à Québec mais on ne la favorise guère. Jamais les citoyens
du Québec ne se sont sentis aussi éloignés et coupés
des décisions « administratives » qui concernent leur
vie quotidienne.

Le coût très élevé des « réformes » sociales est
d'autant plus mal accepté que les Québécois n'exercent aucun contrôle sur leur orientation et leur application, les technocrates s'étant emparés du monopole
des « changements souhaitables ».

Le mécontentement généralisé, loin toutefois de
susciter un mouvement révolutionnaire de contestation,
tend au Québec à favoriser la réaction qui, depuis
toujours, assimile la moindre intervention de l'État à
une pratique larvée de « communisme ». Les premiers,
d'ailleurs, à entretenir cette réaction sont les technocrates pour qui les citoyens sont aussi fatalement voués

à l'ignorance qu'ils sont eux-mêmes investis des privilèges de la « science » et de la rationalité.

En héritant d'une société à la fois bureaucratisée et colonisée, endettée et consommatrice, et dont l'économie est dangereusement chancelante dans maints secteurs, le gouvernement Lévesque se devait de donner un vigoureux coup de barre à gauche pour amorcer un redressement significatif de la situation. Il a préféré reprendre à son compte les slogans éculés du libéralisme économique. Ce qui ne veut pas dire qu'il échappera aux tentations de dirigisme brouillon, improvisé et maladroit, qui, en temps de crise, guettent tous les gouvernements libéraux occidentaux. Mais ce dirigisme de circonstance ne vaut guère mieux que le « laisser faire » traditionnel, comme l'illustre à merveille le plan fédéral de lutte à l'inflation.

En jetant l'anathème sur le socialisme en tant que stratégie concrète de développement et en traitant de « doctrinaires ruineux » ceux qui ne pensent pas comme lui, le gouvernement « souverainiste » du Parti québécois ne pourra que répéter les mêmes erreurs que ses prédécesseurs autonomistes. De plus, son radicalisme verbal en matière constitutionnelle, en alimentant la démagogie agressive des fédéralistes, risque de préparer le chemin à un retour en force de la droite. Le projet global du P.Q. ne pouvant qu'aboutir à l'impasse parce qu'il ne repose sur aucune stratégie efficace, la droite prendra prétexte de cet échec et des ambiguïtés suscitées pour remettre les choses en place, c'est-à-dire en clair, pour rendre désormais *incontestable* le leadership de la libre entreprise dans l'évolution de la société et, du même coup, condamner tout ce qui pourrait tendre à le remettre en question.

Vingt ans après sa mort, Duplessis triomphe par souverainisme interposé. Tout se passe en effet comme si le duplessisme était la seule forme d'idéologie et de pratique politiques dont le Québec était capable en Amérique du Nord. Une révolution *tranquille* pouvait-elle, d'ailleurs, signifier autre chose que la continuité? Continuité que René Lévesque exprimait déjà en 1966 lorsqu'il déclarait: «Il y a le continent nord-américain. On y est, sur ce continent! Nous sommes une souris et, à ce titre, il faut faire attention de ne pas aller trop loin dans nos ambitions généreuses, car l'éléphant américain nous écraserait sans s'en rendre compte. Il faut perdre ses illusions...»[90]

Lorsque l'on se définit soi-même comme une souris, peut-on, une fois au pouvoir, accoucher d'autre chose que de souris?

**Chapitre XI**

# L'ÉMERGENCE
# DE CONTRE-POUVOIRS
# ET LA QUESTION ESQUIMAUDE

L'impuissance de l'État, des partis et des institutions à répondre aux aspirations populaires donne envie à un nombre croissant d'individus de s'organiser *sans eux*.

Au Québec, ce phénomène universel et contemporain est illustré par la création de « communes » marginales par et dans lesquelles des groupes, aux activités diverses, entendent changer leur vie sans espérer qu'un État, un régime ou un système change *la* vie. Ces groupes *inventent* : des écoles libres, des coopératives, des foyers de création collective, des fermes nouvelles, des publications « underground », une contre-culture et une anti-économie. Rien à voir avec le mouvement coopératif traditionnel dont les Caisses populaires Desjardins sont les avatars les mieux connus et qui prêchent le capitalisme avec la même ardeur que les banques newyorkaises.

L'émergence de « contre-pouvoirs » suit l'échec, enregistré partout sur la planète, de la croissance de type capitaliste et du développement *dirigé d'en haut* des économies dites socialistes.

La centralisation universelle des pouvoirs de l'État a provoqué, depuis une dizaine d'années, une multitude d'expériences communautaires. Certaines ont été éphémères. D'autres se poursuivent à l'écart des pouvoirs

établis et des penseurs reconnus. Leur force est dérisoire si on la compare à celle des super-puissances.
Mais justement elles ne misent nulle part sur la force.
Elle misent uniquement sur l'homme, si faible et isolé
soit-il. Elles ont fait un pari: *l'homme est capable de
se diriger tout seul.* Tous les systèmes ayant échoué
dans l'histoire à faire le bonheur des hommes, tout est
désormais permis à ceux qui l'ont compris et qui ne
veulent pas laisser le soin de leur présent et de leur
avenir entre les mains d'états-majors dont le discours
politique, de siècle en siècle, ne vise que la contrainte,
l'organisation, la domestication, l'uniformisation de la
servitude.

D'où la méfiance des « contre-pouvoirs » vis-à-vis
des mystiques nationalistes et des révolutions guidées
par le marxisme scientifique. Ils savent que « les lumières » de l'État-nation et de l'État-parti aveuglent
plus souvent qu'elles n'éclairent.

Il arrive que ces contre-pouvoirs soient édifiés
également par des nations ou des ethnies que l'impérialisme a vouées au génocide, tels les Esquimaux et
les Amérindiens qui, depuis quelques années, relèvent
la tête en Amérique du Nord et commencent à revendiquer *l'autodétermination.*

Depuis trois siècles, les survivants autochtones du
génocide ont eu droit à la philanthropie blanche et au
mépris des plus forts qui leur ont tout volé. Au Québec, les rivalités fédérales-provinciales se sont insinuées dans la vie des Indiens et des Esquimaux (Inuit)
dont tout le monde revendique la « protection » pour
mieux les déposséder de ce qui leur reste encore de
« droits légaux ».

Pendant que les pouvoirs blancs se disputent, sur
le dos des Indiens et des Esquimaux, les richesses
minérales et pétrolières du Nouveau-Québec, les au

tochtones reprennent au Parti québécois l'aspiration à la souveraineté et exigent que « le droit des peuples à l'indépendance » se concrétise enfin à leur avantage. Ils en ont assez d'un protectorat qui prépare en douce, et sous des apparences légales, leur extinction, après les avoir depuis longtemps chassés de leurs terres.

Mais voilà : ce contre-pouvoir « rouge » s'organise au moment précis où Québec et Ottawa ont *conjointement* décidé par contrat d'exploiter le territoire de la baie James et la péninsule de l'Ungava. Les investissements déjà engagés par les Américains dans ce « développement » sont considérables. Les profits qu'on espère en tirer le sont davantage. Peut-on sacrifier cette fortune pour une poignée d'autochtones hostiles à la civilisation blanche et au « progrès » ?

De toutes les expériences de contre-pouvoirs amorcées au Québec, celles développées dans les villages Inuit de la baie d'Hudson et de l'Ungava sont sans aucun doute les plus globales, car elles visent la prise en charge de l'économie, du territoire, de la culture et des rapports sociaux par l'ensemble de la population Inuit.

Les indépendantistes québécois comprennent mal cette question. Ils voient dans le contre-pouvoir esquimau un simple complot fédéral dirigé contre l'intégrité du territoire québécois. Certes, Ottawa grenouille au nord comme ailleurs. Mais ce n'est pas Ottawa qui a inspiré la création d'un mouvement indépendantiste Inuit. Bien au contraire. Ce mouvement ne doit rien non plus aux Québécois. Il est né sans eux et en dehors d'eux.

Du seul fait que soudain les Inuit disent clairement que leur émancipation sera *leur* œuvre et non celle des Blancs, chaque équipe de conquérants blancs y voit une manœuvre sinistre, planifiée par ses adversaires.

L'adoption de la loi 101, qui a fait du français la seule langue officielle du Québec, a fourni aux Inuit l'occasion de préciser leurs objectifs et de dire aux Blancs que leurs lois ne les concernent pas. Le ministre québécois des *Richesses naturelles* affirme, quant à lui, que les Québécois « sont propriétaires du sol » et que, par conséquent, ils ne reconnaissent ni aux Inuit ni aux Indiens le droit à l'auto-détermination.

En effet, *l'Entente* conclue en novembre 1975 entre Québec, Ottawa et la Northern Quebec Inuit Association (créée par les deux premiers pour contrer l'action des communautés souverainistes), stipule, à l'article 2.6, que la législation qui mettra en vigueur, à la fin de 1977, cet accord forcé « doit *éteindre* toutes les revendications, droits, titres et intérêts des autochtones ». Beau programme !

Le Parti québécois ne conteste pas les termes odieux de cette « entente » fabriquée et imposée il y a deux ans par les gouvernements Bourassa et Trudeau. Au contraire, il est pressé de le voir en vigueur et d'y trouver prétexte éventuellement au « nettoyage » des communautés Inuit récalcitrantes, lesquelles incidemment ont rappelé au gouvernement Lévesque qu'elles ne revendiquent rien de moins que « la création d'un véritable gouvernement avec tous les pouvoirs pour assurer le développement de notre société, de notre culture et de notre langue ».

Mais Québec reste sourd à cette revendication. Quand il s'agit d'un contre-pouvoir non blanc, les Blancs, malgré leurs divergences « internes », finissent toujours par s'entendre sur « la solution finale » à appliquer.

Pour les Québécois qui ont choisi d'organiser leur existence sans l'État et en dehors des institutions établies, le contre-pouvoir Inuit se doit de réussir, le projet hydraulique de la baie James et autres « développements nordiques » dussent-ils s'en trouver compromis.

Après tout, la dignité de l'homme et des collectivités vaut bien le sacrifice d'un peu d'électricité. [91]

# Chapitre XII

# L'ÉCHÉANCE DU RÉFÉRENDUM

Dans quel état se retrouvera le P.Q. lors du référendum·sur « l'indépendance » ?

Le moins qu'on puisse dire, c'est que le gouvernement Lévesque s'est enfermé dans un dilemme. Un dilemme que Jean-Claude Leclerc a parfaitement résumé : Le P.Q. est *pogné* « entre une indépendance qu'il ne propose pas et une souveraineté qui dépend d'une... association »[92].

Il est à prévoir que la question formulée par le gouvernement Lévesque mettra surtout l'accent sur « l'association », qu'elle visera à faire entrevoir la souveraineté à travers l'union des deux « peuples fondateurs » et que, finalement, elle confondra l'indépendance avec l'interdépendance. Quelle que soit l'issue de ce référendum, il ne peut aboutir qu'à la formulation d'un fédéralisme « rajeuni ». Ottawa et Québec pourront tous deux crier à la victoire du « bon sens » et tout finira par la réconciliation des frères ennemis.

Cela fait, où en serons-nous ? À peu près au même point qu'aujourd'hui. La crise économique continuera de préoccuper l'ensemble des citoyens. Le bilinguisme fournira encore l'occasion de divertissements culturels. Ottawa et Québec reprendront rapidement l'habitude de se tirailler. L'américanisation du pays se poursuivra sans rencontrer de résistance collective.

Bien sûr, avant et pendant la campagne du référendum, les esprits seront agités. Et peut-être les adversaires du P.Q. iront-ils jusqu'à provoquer délibérément des troubles civils, puisque la peur a toujours profité au pouvoir central. On peut même redouter un début de guerre civile au Québec, si la résistance des anglophones à la loi 101 débouche sur la désobéissance organisée. Certains, à Ottawa, n'écartent pas l'intervention de l'armée et l'imposition des Mesures de guerre. D'autres, à Québec, anticipent leur mise en accusation pour crime de « haute trahison ».

Tout cela est possible, sûrement. Mais le gouvernement Lévesque met tant de soin à répéter partout qu'il mise sur l'association (au plan politique) et sur la concertation (au plan économique) que ses adversaires risquent d'en oublier sous peu leurs cauchemars. Après tout, le Parti québécois, sans le savoir, n'est-il pas en train de leur donner raison et de plaider en faveur du statu quo ?

On ne sait trop ce que pensent de tout cela les militants du parti car, depuis la victoire imprévue du 15 novembre, ils n'ont guère l'occasion de s'exprimer. Et ce n'est pas l'hebdomadaire *Le Jour* qui leur facilite la tâche ! Tout se passe comme si le parti avait hiberné en attendant la conclusion du référendum et des élections générales qui suivront.

Entre-temps, les libéraux de Pierre Trudeau n'auront aucun mal, malgré octobre 1970 et l'inflation incurable, à se faire plébisciter une nouvelle fois. Quant aux libéraux du Québec, ils trouveront sans difficulté le chef qui saura réaffirmer que l'ordre est d'autant mieux assuré que les « folleries séparatistes » sont écartées des débats.

Mis sur rails le 15 novembre 1976, il y a à peine un an, le train souverainiste est déjà arrivé à la gare des illusions perdues. Seuls demeurent à bord les néofédéralistes qu'une nouvelle association Québec-Ottawa

satisfera pleinement, surtout s'ils doivent en être les
« managers ».

Ce n'est pas le prochain référendum qui mettra
en danger la carrière encore jeune d'un Claude Morin
ni l'opportunisme « progressiste » (progressiste-conser-
vateur) de la Roche Ursule. [93]

Bref, si Joe Clark n'a pas beaucoup d'avenir,
c'est parce qu'il lui manque d'être péquiste et social-
démocrate.

# CONCLUSION PROVISOIRE

En refusant de contester le système économique nord-américain et de se dégager du « niveau de vie » et de consommation qu'il a créé, le Parti québécois conduit donc le projet indépendantiste à l'échec.

De son côté, le gouvernement central, dirigé par Pierre Trudeau, « se retrouve moralement, politiquement et diplomatiquement à plat ventre »[94], depuis qu'il a plaidé devant le Congrès des États-Unis la cause sacrée de « l'unité canadienne ». Le Canada s'étant alors solennellement engagé à « servir avec ferveur les causes que nous défendons ensemble », les États-Unis y vont vu l'occasion rêvée de renforcer encore la concertation des deux États nord-américains de la « zone dollar ». « Soyons interdépendants dans la prospérité », a déclaré, le 22 septembre dernier, l'ambassadeur des États-Unis au Canada, M. Thomas Enders, en insistant particulièrement sur l'exploitation conjointe des ressources pétrolières et énergétiques, sur la réduction générale des tarifs douaniers, sur l'intégration *complète* de l'économie des deux pays.[95]

Donc, Washington appuie inconditionnellement la thèse fédéraliste canadienne. Mais en échange de cet appui, Ottawa devra renoncer au peu d'indépendance dont le Canada pouvait jusqu'à maintenant se glorifier. Le nouveau ministre des Finances du Canada, M. Jean Chrétien, est allé fin septembre à Washington dire ouvertement l'accord de son gouvernement avec les thèses de l'ambassadeur Enders.

Tout cela, pour, en somme, maintenir intact le niveau de vie actuel. L'interdépendance dans la prospérité n'est en réalité que la prospérité (relative) dans l'esclavage.

En faisant tous deux l'économie d'un affrontement avec les États-Unis, le Canada et le Québec se couchent à terre. S'en relèveront-ils? J'en doute sérieusement.

Depuis 1960, la rhétorique anti-coloniale ne nous a apporté qu'une conscience de plus en plus vive de notre déchéance politique et culturelle. Elle n'a su engendrer aucune stratégie efficace de libération collective.

Aujourd'hui, les mots doivent laisser la place aux actes ou plutôt aux démissions. Le discours québécois, comme le discours canadien, ne veut plus rien dire. C'est le discours américain qui occupe en fait toute la place.

Un discours tributaire de la société de consommation et de gaspillage. Un discours du confort matériel et du conservatisme politique.

On pourra continuer à rêver d'autre chose et même continuer à parler d'autre chose, mais collectivement nous ne ferons pas autre chose.

Les âmes sensibles refuseront de l'admettre. Mais elles continueront quand même de quémander leur bien-être matériel auprès des investisseurs américains, lesquels, en échange, exigeront toujours plus d'ordre, toujours plus de paix sociale, toujours plus de concertation, toujours plus de servitude volontaire. Et les âmes sensibles obéiront, comme les autres que l'on dit raisonnables.

Quand le président Carter déclare publiquement à Washington que sa «préférence personnelle» va au maintien d'un Canada uni, personne ici, *même pas à Québec,* ne l'accuse d'ingérence dans les affaires intérieures du pays. On n'ose pas le contredire. Carter n'est pas le général de Gaulle. C'est le grand patron. Et quand il parle, il le fait au nom de la majorité de ses concitoyens... et des investisseurs indispensables (comme en fait loi le numéro d'octobre 1977 de la revue *Fortune*).

De plus, les déclarations fort claires du président s'accompagnent de la visite à Québec de militaires, diplomates, financiers et experts américains. Ces visites d'«information» n'ont qu'un but: rappeler au gouvernement Lévesque qu'il est dans son intérêt de se tenir tranquille. Ce que ledit gouvernement reconnaît facilement.

Voilà sans doute pourquoi le premier ministre du Québec continue à répéter que l'art de gouverner est celui qui consiste à ne pas perdre la tête tout en perdant «toutes ses illusions». Ce qui revient à dire que, sous l'empire américain, l'art de gouverner, à Québec et à Ottawa, est celui de se soumettre.

Le prochain référendum risque ainsi de porter davantage sur notre servitude bien nourrie que sur notre libération. Ce qui nous vaudra les félicitations humanistes du président Carter et le dégoût bien senti de nos frères colonisés.

J'avoue que mon pessimisme anticipe sur le référendum que doit tenir le P.Q. Mais je ne vois malheureusement pas dans la situation présente sur quoi pourrait prendre appui le rêve d'indépendance que le Québec, depuis la Conquête britannique, s'est contenté de verbaliser.

Il est temps que ce rêve crève. Sans stratégie de type socialiste, sans lutte et sans sacrifices nombreux et coûteux, ce rêve ne peut procurer que des illusions. On ne vit jamais de ses illusions.

Le mouvement indépendantiste, c'était notre première et notre dernière chance de vivre autrement
que comme des banlieusards des États-Unis. Nous
l'avons ratée.

Il est fort probable que notre prochain rendez-
vous avec l'histoire sera daté de Washington, si jamais
il s'en produit un autre.

Chacun à sa façon, Pierre Trudeau et René Lévesque sont en train de nous y préparer l'estomac et la
raison. Avis aux troupes qui, désarmées et en prière,
croient encore au miracle.

Nous avions besoin d'une révolution. Nous nous
sommes contentés de mots. Que le système sorte vainqueur du débat n'a rien de surprenant puisque nulle
part ni à aucun moment nous n'avons osé agir contre
lui. Quelques bombes ont fait semblant de l'égratigner.
Quelques discours ont tenté de noircir sa réputation.
Mais nos actes de tous les jours l'ont vénéré comme
s'il était une force intouchable.

Notre attachement aux valeurs américaines, notre
niveau de vie de société riche, notre obsession de la
consommation, notre sécurité relativement prospère
nous ont interdit le courage. Notre fierté est devenue
cette chose molle où tous les emblèmes peuvent s'imprimer du moment que nos portefeuilles y trouvent
leur compte. Nos calculs d'apprentis-banquiers, qui
n'ont envie ni de souffrir ni de périr « pour la cause »,
nous ont conduit à tout monnayer, y compris notre
liberté collective ; « est-elle rentable ou n'est-elle pas
rentable ? » « Elle rapporte combien, la liberté ? »

Ce bavardage incessant de comptables et de calcu-
lateurs invétérés, que l'on retrouve jusqu'au sein du
cabinet Lévesque, exprime une misère morale qu'un
observateur français n'a pu s'empêcher de qualifier de
« forme avilie d'humanité » [96].

Coïncidence: c'est au moment même où cette observation était imprimée que le Parti québécois a décidé de contribuer à la réhabilitation de feu Maurice Duplessis.

Notre « qualité d'existant », comme dit François-Marie Monnet, semble continuer à dépérir. Duplessis redevient le grand homme que le clergé glorifiait dans les années 1950. Et son nationalisme de quêteux à cheval est récupéré par les commis en Cadillac. Ce nationalisme entend parler le discours de la réussite et du bien-être. Pour cela, il s'interdit tout ce qui pourrait entraîner, pour la nation, le moindre sacrifice matériel et, partant, le moindre changement *radical*. Il ne peut que devenir *collaborateur* du capital étranger et confondre « l'intérêt national » avec le pouvoir d'achat.

Sous Lévesque comme sous Duplessis, l'intérêt national est, en effet, synonyme de pouvoir d'achat et, par conséquent, répudie l'indépendance.

Il n'existe pas de « voie moyenne » entre la satellisation et l'indépendance. En refusant l'indépendance, par refus d'une révolution qui exigerait de tous un dur et long combat, le gouvernement Lévesque et avec lui le Québec, suivant en cela l'ensemble du Canada, ne peuvent que formuler prochainement d'excellentes raisons pour servir les intérêts des plus forts. L'association aura donc préséance sur la souveraineté. Cette « trahison » est pour ainsi dire obligatoire pour ceux qui considèrent la puissance économique, financière et militaire des États-Unis comme soutien et générateur du niveau de vie des Québécois.

Puisque, en dehors de ce niveau de vie, il n'y a ni bonheur, ni sécurité, ni salut, aussi bien s'arranger pour marchander sa dépendance et réduire la souveraineté au simple fait de parler français et de n'être point protestant.

On en revient toujours là depuis l'écrasement de la rébellion de 1837-1838 et l'exil américain de Louis-Joseph Papineau.

Peu importe que le rêve canadien ait disparu de nos songes. Il y a belle lurette déjà que le rêve américain l'a remplacé dans la nation québécoise. Celle-ci, hélas, demeure le projet inachevé et peut-être désormais irréalisable d'un peuple qui se destine lui-même, par son matérialisme, à l'annexion. C'est ce que Gilles Vigneault avait en tête en écrivant *Quand nous serons en Louisiane*. Ce dont Pauline Julien souffrait déjà en chantant *Mommy*.

Quand nous serons en Louisiane, chacun aura une « bonne jobbe » et le créole pour se souvenir de ses rêves passés. On chantera alors, sur l'air de « Ti-Poil, on t'aimait bien quand même », le pays des aventuriers que les Américains auront transformé en chantier énergétique pour le plus grand plaisir de nos portefeuilles en peau de caribou.

Vive le folklore qui dansera dans nos têtes la nostalgie des suicidés du progrès !

Comme on peut le voir, je suis loin de partager l'opinion du ministre Guy Joron pour qui le Québec pose un défi aux États-Unis.[97] Le Québec pourrait constituer pour eux un défi s'il s'était engagé dans un processus révolutionnaire. Tel n'est pas le cas. Bien au contraire, le Québec est engagé dans le processus inverse. Et comble d'ironie, c'est l'arrivée au pouvoir à Québec d'un parti indépendantiste qui en fournit la démonstration la plus éloquente.

À prévoir en 1978: l'équipe de Pierre Trudeau rafle tous les comtés du Québec. Le Canada anglais exige la démission du gouvernement Lévesque. Claude Morin continue à prétendre que l'indépendance est « irréversible». Jean-Guy Coulombe prépare en secret les termes du nouveau pacte confédéral et en prévient ses amis libéraux. Pierre Bourgault continue à livrer au *Jour* les raisons qui devraient nous pousser à voter «oui» lors du référendum. Le président Carter effectue une visite officielle au pays. René Lévesque déclare à Calgary que les Québécois sont les seuls qui tiennent vraiment à «sauver» le Canada. À Québec, Félix Leclerc est acclamé lorsqu'il chante:

> «L'Oncle Sam désormais
> sera notre berger.
> En anglais
> nous aurons à être mangés.»

# Appendice

# CITOYEN DU MONDE
# OU/ET QUÉBÉCOIS?

*J'ai rédigé ce texte en mai 1974 pour le compte de la revue* Maintenant. [98] *Cette revue cherchait alors à se faire «une certaine idée du Québec» d'avant le 15 novembre. Il est frappant de constater que cette idée n'a pas changé même si Louis O'Neil est ministre et Fernand Dumont haut fonctionnaire.*

Depuis vingt ans, depuis mon adolescence donc, je m'interroge sur le destin québécois en même temps que sur celui de l'humanité, des collectivités et des individus qui les forment. Identifié publiquement à la lutte de libération des Québécois dans ce monde crevassé par les guerres, les famines, les génocides, la pollution et les prisons multiples, je n'ai jamais cru que le salut d'un peuple puisse se réaliser en dehors de profonds changements qualitatifs dans le monde, pas plus que je ne crois au salut individuel en ce monde ou dans un autre.

Nous sommes tous embarqués dans la folie universelle, pour le meilleur et pour le pire.

Parfois je ne sais plus si je dois d'abord m'identifier comme «citoyen du monde» ou comme Québécois. Mais je sais que le peuple québécois, en tant que collectivité particulière, ne pourra enrichir l'histoire des hommes de son destin s'il refuse les risques de l'indépendance nationale et, à partir d'elle, ceux d'une révolution radicale. Je sais également que le monde entier doit choisir rapidement entre cette révolution ou la mort. Je sais enfin que les systèmes et les régimes en place préfèrent la mort à la révolution, y compris les régimes à étiquettes socialistes.

Enraciné en sol québécois, je pars d'ici par nécessité pour agir sur le monde et pour réfléchir sur lui. Je pars donc d'un sol ingrat, plus souvent qu'à son tour gelé par la peur ou par le confort factice créé par l'industrie de consommation et encouragé par le syndicalisme d'affaires. Je pars d'un gros village craintif, paresseux, sans fierté, décourageant. Je pars d'une famille lente à agir et peu consciente des dangers qui la menacent. Je pars d'un être mal identifié et faible structuralement que l'empire américain bouffe quotidiennement sans rencontrer de véritables résistances. Je pars aussi d'une certaine tradition d'anarchie instinctive qui fait de nos révoltes épisodiques autant de combats sans lendemain.

En réaction contre notre lâcheté quotidienne, je suis souvent tenté de combattre ailleurs qu'au Québec l'exploitation de l'homme par l'homme. Mais mon appartenance à la race blanche me situe d'emblée dans le camp des exploiteurs de l'humanité, et même mes réflexions écrites reposent sur une culture et des outils produits à même l'asservissement et le sous-développement organisé des deux tiers au moins de l'humanité.

Je tente d'apporter ma contribution, du mieux que je peux, à la construction d'une solidarité québécoise. Mais cet idéal est proposé à une société blanche (exploitée, certes, mais relativement confortable aussi) qui, enfermée dans le ghetto des valeurs établies et des préjugés faciles, ne se sent pas solidaire de la majorité des humains, si ce n'est, de temps à autre, pour souscrire une obole aux affamés d'Afrique. Les Accords de Paris venaient à peine d'être signés par les Princes de ce monde que la guerre du Vietnam disparaissait aussitôt de nos préoccupations, ne méritant plus, un jour sur trente, que deux ou trois paragraphes dans nos journaux démocratiques.

Après quinze ans de lutte indépendantiste, un parti politique propose encore aux Québécois un minimum de dignité collective à assumer. Et ce minimum est encore perçu par eux comme un défi irréaliste. Chaque événement — crise de l'énergie, instabilité monétaire, hausse du coût de la vie — n'est pas l'occasion d'une remise en question du système en place mais prétexte à justifier le statu quo le plus bête. D'où le triomphe des cent deux sangsues libérales, le 29 octobre 1973. Et ce n'est pas l'effondrement des masures unioniste et créditiste qui me convaincra que ce triomphe fut aussi celui de la raison.

Entre-temps, ce qu'on baptise ici d'opposition politique mène des campagnes tellement respectueuses des adversaires pourris, qu'elle livre aux citoyens l'image d'une quasi-complicité dans le statu quo. On se tape la cervelle à coups de budgets hypothétiques, comme pour démontrer à la population que les maux dont elle souffre sont le produit d'une mauvaise comptabilité. Les espoirs de révolution s'évanouissent dans des concours d'études commerciales où tous les aspirants font l'unanimité sur les règles du jeu. L'interrogation du système en vigueur, non seulement au Québec mais dans le monde, a cédé la place aux débats télévisés sur le coefficient d'élasticité et le rendement des capitaux.

En marge, quelques sectes marxistes-léninistes tentent de faire retrouver à leur clientèle les vertus, tant décriées jadis, de la scholastique, du dogme et de la papauté.

À gauche comme à droite, on change parfois les couleurs. Mais les drapeaux signalent tous notre impuissance à balayer notre condition de soumis. Au moindre jappement du pouvoir, nous agitons le drapeau blanc de nos pieuses intentions avant de nous coucher en rond dans la satisfaction d'appartenir « quand même » à la prospère Amérique du Nord.

Nous nous consolons facilement des nombreux Paragon de notre régime en ouvrant toutes grandes les pages de nos journaux aux odeurs des autres dont Watergate est devenu le grand symbole. Non contents d'être soumis, nous sommes hypocrites et bien-pensants. Même à gauche.

Notre littérature se nourrit de cette vocation à l'absurde que nous nous sommes donnée avec le temps. Cela se comprend un peu. Notre littérature est surtout montréalaise. Et Montréal vit encore à l'heure duplessiste, quinze ans après la mort du célèbre vacher de notre «intégrité» nationale. Les Montréalais ont toujours accusé les «provinciaux» d'être responsables de nos retards historiques sans être capables eux-mêmes de faire le ménage dans leur cité. C'est à peine si nos gens de la grande ville osent tolérer l'idée d'un changement de régime dans leur hôtel de ville, comme si le pouvoir à Montréal, venant d'en haut, devait par nature commander lui-même d'en haut tout changement éventuel d'administration.

L'autogestion politique, économique, sociale et culturelle n'est pas pour demain. La critique et l'action sont encore trop timides et trop peu soutenues pour donner un peu de réalité, de concret, aux espoirs qu'avaient suscités chez nous, malgré lui et malgré nous, la mort de Duplessis. J'ai bien peur que notre opposition s'enlise dans le sous-sol du pouvoir, comme ces «honnêtes travailleurs» du contracteur Padovani par lesquels Denys Arcand a voulu rappeler notre complicité collective dans le maintien du statu quo et des abus de pouvoir.

Que faut-il donc faire quand on ne veut pas mourir au Québec avec la mention «poète maudit» ou «révolutionnaire de la désespérance»?

Le système aimerait nous voir recourir à nouveau aux bombes, parce qu'il sait tirer parti de la peur et de la mort. Mais nous savons que le terrorisme, depuis Athènes jusqu'à Santiago du Chili, est l'arme suprême des vautours. Nous savons aussi qu'après avoir accordé un triomphe aux minables patroneux de l'équipe Bourassa, nos citoyens ont repris leurs mauvaises habitudes de vaincus paisibles et que leurs récriminations se noient à nouveau dans les vapeurs des tavernes. Lors du prochain duel courtois que se livreront en 1977 ou 1978 nos respectables partis politiques, que restera-t-il du réveil des années 60?

Si un jour prochain, les Américains décident que la solution à leurs gigantesques problèmes énergétiques, écologiques et sociaux doit absolument passer par la «récupération» des ressources naturelles du nord, et donc par l'annexion du Québec et du Canada à leur territoire, ils nous trouveront complètement désarmés et peut-être même aux trois quarts assimilés.

Mais, peut-on se demander, le monde en sera-t-il plus affecté que nous le sommes nous-mêmes par la menace d'extinction qui pèse sur certains peuples du Sahel ou par le génocide des Indiens des deux Amériques? Le monde a survécu à la disparition de bien des peuples, et nous-mêmes, à l'école, nous avons appris que ces disparitions étaient historiquement nécessaires. Des massacres de Juifs, d'Indiens, de Bengalis, de Biafrais, etc... à peine avons-nous retenu le sentiment, après un vague sursaut d'horreur morale, qu'heureusement «ça ne se passe pas ici». Et «ce-qui-ne-se-passe-pas-ici» importe peu à nos intérêts villageois. Décidément, si nous lorgnons de temps à autre en direction du Tiers Monde, celui-ci ne se reconnaît pas en nous.

Certains d'entre nous ont voulu — et veulent toujours — pour les Québécois un destin différent de celui du grand frère yankee. Est-ce possible? Je veux encore le croire. Mais, lors du «coup pétrolier» des États arabes, j'ai entendu la majorité de mes frères souhaiter que les États-Unis règlent leurs comptes une fois pour toutes à ces «furieux Arabes» qui, disaient-ils, veulent s'enrichir à nos dépens!

J'ai bien entendu aussi quelques critiques sur les grandes compagnies pétrolières, mais leur conclusion était que ces consortiums étaient de connivence avec les pays arabes. L'impérialisme?

Connais pas!

Pendant ce temps, le gouvernement québécois utilise le slogan de «la souveraineté culturelle», comme autrefois Duplessis se servait de l'autonomisme, pour masquer la vente aux enchères de ce qui nous reste de pays. Le développement de la baie James, exemple parfait du pillage de nos dernières richesses naturelles et du génocide indien, est devenu, par la coïncidence du machiavélisme du pouvoir et de notre propre apathie, le symbole des luttes ouvrières fratricides. L'État a réussi ce tour de force incroyable de substituer le banditisme syndical au banditisme économique des monopoles, et de convaincre à nouveau la majorité de la population québécoise que les syndicats constituent une menace plus grande à son «bien-être» et à son développement que les grandes sociétés multinationales de l'empire. De la crise d'octobre 1970 aux violences de la baie James, le même scénario réédite les mêmes peurs, les mêmes démissions, les mêmes fausses pistes.

# Notes et références

¹ «La révolte des ethnies», *Le Monde diplomatique*, décembre 1976, p. 34.

² *The New York Times*, 26 janvier 1977. Version française publiée dans *Le Devoir* du 27 janvier 1977.

³ *Le Devoir*, 26 janvier 1977.

⁴ *La Presse*, 27 janvier 1977.

⁵ Pierre Vallières, *L'exécution de Pierre Laporte*, «Les dessous de l'Opération Essai», Ed. Québec-Amérique, Montréal, 1977.

⁶ *La Presse*, 11 décembre 1976.

⁷ Jacques Brossard, *L'accession à la souveraineté et le cas du Québec*, P.U.M., Montréal, 1976, p. 101.

⁸ *Ibid.*, p. 98.

⁹ Rien n'illustre davantage l'esprit de connivence P.Q.-U.N. que l'article de Pierre Chaloult, «Là sera ta patrie», paru dans *Le Jour* du 15 juillet 1977.

¹⁰ Jacques Brossard, *op. cit.*, p. 15.

¹¹ «Aurons-nous le choix de notre avenir?», dans *Maintenant*, nos 137-138, juin-septembre 1974.

¹² Robert-Lionel Séguin, «L'esprit d'indépendance et d'insubordination en Nouvelle-France et au Québec», Académie des sciences d'outre-mer, XXXIII, 4, 1973; Louise Déchêne, *Habitants et marchands de Montréal au XVIIᵉ siècle*, Paris, Plon, 1974.

¹³ U.S. Bureau of the Census, *Statistical Abstract of the U.S. 1972*, Washington D.C., p. 777.

¹⁴ James et Robert Laxer, *The Liberal Idea of Canada*, Toronto, Lorimer, 1977, p. 44.

¹⁵ Jacques Attali et Marc Guillaume, *L'Anti-économique*, P.U.F., 1974. Voir aussi Ivan Illich, *La Convivialité*, Le Seuil, 1973; et Michel Bosquet, *Écologie et politique*, Ed. Galilée, 1975.

¹⁶ Vance Packard, *L'Art du gaspillage*, Calmann-Lévy.

¹⁷ *Le Nouvel Observateur*, no 651, 2-8 mai 1977.

¹⁸ *The National Geographic Magazine*, Vol. 151, no 4, avril 1977.

¹⁹ *La Presse*, 7 mai 1977.

²⁰ *Le Devoir*, 9 mai 1977.

²¹ *Une correspondance privée*, Livre de poche, 3846, p. 31.

²² *Programme du P.Q.*, éd. 1975, pp. 4 et 5.

²³ *Le Devoir*, 17 janvier 1977.

²⁴ Mini-manifeste du 27 novembre 1971, reproduit dans le *Programme du P.Q.*, 1975, pp. 50-52.

[25] *Ibid*. «Dans une société qui, sur le plan collectif, est grande consommatrice d'«images», nous nous efforçons...», etc.

[26] *Ibid*.

[27] *Programme du P.Q.*, 1975, p. 5.

[28] *Le Jour*, 27 mai 1977.

[29] *Ibid*.

[30] *Ibid*.

[31] *Ibid*.

[32] *Ibid*.

[33] André Laurendeau. Cité par Peter Desbarats dans *René Lévesque ou le projet inachevé*, Fides, 1977, p. 24.

[34] Cité par P. Desbarats, *op. cit.*, p. 136.

[35] Cité par P. Desbarats, *op. cit.*, p. 191.

[36] Pierre Vallières, *L'urgence de choisir*, Parti Pris, 1971, pp. 100-103.

[37] *Le Jour*, 27 mai 1977.

[38] *Le Devoir*, 9 mai 1977.

[39] Pierre Perrault, «L'apprentissage de la haine», août 1974.

[40] *Le Jour*, 27 mai 1977.

[41] «L'apprentissage de la haine».

[42] *La Presse*, 7 mai 1977.

[43] Cf. Walter Stewart, *Shrug. Trudeau in Power*, New Press, Toronto, 1971, chapitre 8.

[44] *Programme du P.Q.*, 1975, p. 10.

[45] *Ibid.*, p. 9.

[46] *The Toronto Star*, 26 janvier 1977.

[27] Paul Desmarais. *La Presse*, 7 mai 1977.

[48] Jacques Brossard, op. cit., p. 42.

[49] *Ibid.*, p. 109.

[50] *Ibid.*, p. 103.

[51] «Elections, piège à cons», dans *Situations X*, Gallimard, pp. 75 et ss.

[52] Jacques Brossard, *op. cit.*, pp. 10, 252, 280, 281, 283-285.

[53] *La Presse*, 7 mai 1977.

[54] *Le Jour*, 27 mai 1977.

[55] Gérard Chaliand, *Mythes révolutionnaires du Tiers Monde*, Le Seuil, 1976, pp. 7-8.

[56] Régis Debray, *Les rendez-vous manqués*, Le Seuil, 1975, p. 75.

[57] *Ce pays qu'on veut bâtir*, p. 19.

[58] *La souveraineté et l'économie*, p. 159.

[59] *Un gouvernement du Parti québécois s'engage...*, p. 40.

[60] *Quand nous serons vraiment chez nous*, p. 56.

[61] *Ibid.*, p. 70.

[62] *Ibid.*, p. 57.

[63] *Ibid.*, p. 48.

[64] L'analyse qui suit reprend celle que j'ai déjà présentée dans *L'urgence de choisir*, pp. 47 et ss.

[65] *Le Devoir*, 17 janvier 1977.

[66] Peter Desbarats, *op. cit.*, p. 27.

[67] *Le Devoir*, 28 décembre 1971.

[68] Michel Bosquet, *Écologie et politique*, p. 15.

[69] Cité par M. Bosquet, *op. cit.*, p. 100.

[70] Cf. James Reston, *The New York Times*, 26 janvier 1977.

[71] *Ibid.*

[72] Cf. Rodrigue Tremblay, *Indépendance et marché commun Québec-États-Unis*, Ed. du Jour, Montréal, 1970.

[73] *Le Jour*, 27 mai 1977.

[74] *Ibld.*

[75] *Le Devoir*, 3 septembre 1977.

[76] ibid.

[77] Cf. *L'exécution de Pierre Laporte*, p. 150.

[78] *Le Devoir*, 3 septembre 1977.

[79] Jacques Lazure, *L'asociété des jeunes québécois*, P.U.Q., 1972, p. 183.

[80] *Ibid.*, pp. 183-185.

[81] *Ibid.*, p. 174.

[82] Marcel Pepin. *Le Devoir*, 3 septembre 1977.

[83] Michel Bosquet, *op. cit.*, p. 79.

[84] René Lévesque. *Le Jour*, 27 mai 1977.

[85] Jacques Lazure, *op. cit.*

[86] *Le Sauvage*, no 43, juillet 1977, p. 15.

[87] Michel Bosquet. *Le Nouvel Observateur*, no 667, 22-28 août 1977.

[88] *Le contexte du développement régional*, Ministère fédéral de l'Expansion économique régionale, Ottawa, 1976, p. 112.

[89] Ces chiffres sont tirés de *Perspectives de développement de «la région du Québec»*, M.E.E.R., Ottawa, 1976.

[90] Cité par Peter Desbarats, *op. cit.*, p. 134.

[91] Rémi Savard a admirablement bien traité de cette question dans *Le Devoir* du 6 septembre 1977.

[92] *Le Devoir*, 27 septembre 1977.

[93] «Roche Ursule» est le pseudonyme de Louise Beaudoin, chef de cabinet de Claude Morin.

[94] François-Marie Monnet, *Le défi québécois*, Quinze, 1977, p. 149.

[95] *Le Devoir*, 23 septembre 1977.

[96] François-Marie Monnet, *op. cit.*, p. 151.

[97] Préface à F.-M. Monnet, *op. cit.*, p. X.

[98] *Maintenant*, nos 137-138, juin-septembre 1974, pp. 22-23.

*Pour des livres percutants
sérieux
insolites...*

---

## LES ÉDITIONS QUÉBEC/AMÉRIQUE

450 est, rue Sherbrooke, suite 801
Montréal, P.Q., H2L 1J8 (514) 288-2371

Nous vous présentons, dans les pages qui suivent, nos dernières publications. Sur simple demande, vous pouvez recevoir régulièrement et sans engagement de votre part nos catalogues et bulletins d'information. Pour bénéficier de notre service de vente postale, il suffit de nous faire parvenir votre sélection d'ouvrages en y joignant un chèque ou un mandat. Veuillez noter, à cet égard, que nous assumons tous les frais d'envoi.

*Bonne lecture!*

*Un document essentiel pour comprendre et connaître notre histoire nationale*

---

**LE DÉVELOPPEMENT DES IDÉOLOGIES AU QUÉBEC**
**(des origines à nos jours)**

*Denis Monière*

Ce livre est un essai d'analyse globale des rapports idéologiques à l'intérieur de la société québécoise. Il situe, dans une perspective dynamique, les différentes idéologies qui ont servi aux classes sociales en lutte pour la direction de la société québécoise, du régime français à nos jours. Le lecteur y trouvera, entre autres, des analyses des idées sociales et politiques des mouvements nationalistes (des Patriotes au Parti québécois), du mouvement ouvrier (du syndicalisme catholique au syndicalisme de combat), des hommes politiques (de Papineau à Duplessis), des leaders d'opinions (Tardivel, Bourrassa, Groulx,...) et enfin de divers mouvements intellectuels.

Le développement des idéologies y est examiné et expliqué en prenant en considération l'évolution du contexte économique, de la structure sociale et du système politique. Cette approche progressive et synthétique permettra aux lecteurs de faire des incursions dans notre mémoire collective, de comprendre les problèmes d'aujourd'hui dans leur dimension historique et peut-être de mieux entrevoir les possibilités de notre avenir collectif.

Denis MONIÈRE a étudié à la Fondation nationale des sciences politiques (Paris) où il obtint en 1974 son doctorat. Il enseigne, depuis quatre ans, au département de science politique de l'Université d'Ottawa. Il a déjà deux livres à son crédit ; l'un intitulé *Critique épistémologique de l'analyse systémique,* l'autre étant une bibliographie sur les idéologies au Québec publiée par la Bibliothèque nationale. Il collabore aussi à de nombreuses revues dont la *Revue canadienne de science politique* et la *Revue d'histoire de l'Amérique française.* Il mène présentement des recherches sur les rapports idéologiques entre les classes sociales.

$9.95

## L'EXÉCUTION DE PIERRE LAPORTE

*Pierre Vallières*

Pierre Vallières jette un éclairage nouveau sur le déroulement de la « crise » et apporte des faits troublants quant aux circonstances et aux mobiles de l'enlèvement et de l'assassinat de celui qui était l'homme fort du gouvernement québécois.

Des révélations stupéfiantes. Des questions fondamentales. Ottawa au banc des accusés. La *Loi des mesures de guerre* : l'arme absolue du complot anti-québécois.

« Les questions soulevées par le livre de Pierre Vallières — *L'Exécution de Pierre Laporte* — sont troublantes et d'une vraisemblance à faire peur... » (*René Matte, député*).

« Si, au Québec, on choisissait d'ignorer le livre de Pierre Vallières, on se condamnerait par le fait même à cautionner ce qui semble avoir été la plus grande mise en scène de l'histoire politique des dernières années. Il faut en avoir le cœur net et cela, le plus tôt possible ».

« ...Pierre Vallières a réussi à me faire changer d'idée. Son livre, L'Exécution de Pierre Laporte, soulève tellement de points d'interrogation que l'on finit par ne plus savoir quoi penser ». (*Daniel Latouche, éditorialiste, Montréal-Matin*)

224 p.                                                          $5.95

des témoignages d'une
extrême cruauté

des récits d'exécutions
bouleversants

des bourreaux parlent...


JOHN F. MORTIMER

LES
BOURRE AUX

ÉDITIONS QUÉBEC|AMÉRIQUE

*Même si vous avez les nerfs solides, ce livre vous donnera des frissons...*

Au cours des siècles, l'esprit humain a inventé des instruments de torture et de mort d'une cruauté infinie destinés, disait-on, à l'accomplissement de la justice. Le bourreau empalait, écartelait, noyait, brûlait, décapitait, pendait ou guillotinait ses victimes. Elles sont terribles les scènes qui se sont déroulées et qui se déroulent encore aujourd'hui dans les prisons, dans les chambres à gaz, dans les cellules d'exécution où l'on utilise la chaise électrique ou la potence, la guillotine ou le garrot. Qui donc les connaît, même parmi les partisans de la peine de mort?

Quels furent, quels sont donc ces hommes qui tuent au nom de la loi et qui exécutent la sentence de juges et de jurés, condamnant aussi souvent les criminels et les coupables que les innocents?

John F. Mortimer a rassemblé de nombreux extraits d'archives, des interviews de bourreaux et des témoignages autobiographiques comme ceux de la famille française Sanson ou du bourreau anglais névrosé Albert Pierrepoint. Ces études documentaires de cas datant de toutes les époques, ces récits authentiques, ces photos et ces illustrations nous montrant le spectacle bouleversant d'exécutions cruelles et inhumaines, nous ne pouvons les ignorer.

Ce livre est un document exceptionnel sur l'un des comportements les plus ténébreux de la société humaine dont les lois reflètent les contradictions.

308 p.                                                                 $9.95

## L'histoire stupéfiante de multinationales qui gouvernent... !

### I.T.T., L'ÉTAT SOUVERAIN

*Anthony Sampson*

De la cordiale entente avec Hitler à la corruption systématique des hommes politiques, du complot permanent érigé en système aux collusions les plus inattendues, voici l'histoire secrète de la société multinationale I.T.T., un nouveau type d'État souverain des temps modernes.

460 p. $12.95

### LES SEPT SOEURS

*Anthony Sampson*

Prix international de la presse en 1976, cet ouvrage analyse l'univers secret et d'une formidable puissance — presque un «western» — des sociétés pétrolières qui, faisant fi des lois de leur propre pays, ont remodelé la face du monde où nous vivons.

492 p. $12.95

## Un dossier choquant

### LE DOSSIER OLYMPIQUE

*Nick Auf der Maur*

Vol, fraude, patronage, gaspillage…, *Le Dossier olympique* raconte la petite histoire du plus grand acte de brigandage de l'histoire du Canada.

*Le Dossier olympique,* une combine milliardaire dans laquelle ont trempé des douzaines de politiciens, d'entrepreneurs et de chevaliers d'industrie.

Estimé à \$124 millions à l'origine, le coût des Jeux a plus que décuplé, laissant aux Québécois un souvenir plus durable (\$\$\$) que la flamme olympique !

*«Un livre que devraient lire tous les Québécois.»*

(Odette Gélinas, CFTM-TV)

192 p.                    \$5.95

## Un livre remarquable

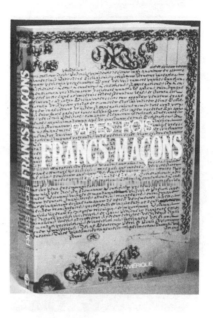

### PAPES, ROIS, FRANCS-MAÇONS

*Charles V. Bokor*

Ce livre remarquable d'un historien minutieux et rigoureusement objectif relate, en même temps que l'histoire de la franc-maçonnerie, l'une des plus grandes supercheries d'une époque pourtant riche en complots et en intrigues. À cause de cette fausse bulle, attestée ici pour la première fois, des milliers d'hommes — et même des prêtres francs-maçons — ont été condamnés et sont encore aujourd'hui injustement persécutés.

Un document unique et bouleversant !

480 p.                    \$16.95

## Un récit passionnant

## Un ouvrage sérieux et de référence indispensable

## À LA RECHERCHE DES MAYAS

*Victor Von Hagen*

En 1840, l'Amérique se cherchait un passé et se voulait un avenir. Un seul et même homme lui révéla l'un et l'autre. Cet étonnant personnage avait nom John Lloyd Stephens. Juriste et aventurier, il fut le promoteur du passage panaméen entre deux océans et découvrit les vestiges des splendeurs qui avaient entouré les Indiens entre le Honduras et le Yucatan.

C'est son histoire et celle de son ami et compagnon de voyage, l'architecte anglais Frédéric Catherwood, que conte dans «À LA RECHERCHE DES MAYAS», Victor Von HAGEN

350 p.                    $9.95

## DICTIONNAIRE DES RÊVES DE A À Z

*Hanns Kurth*

Outre une introduction générale, consacrée aux processus physiologiques du sommeil et du rêve, à la durée, à la mensuration et au classement des rêves par groupes, avec de nombreux exemples, le présent ouvrage comporte — il est en cela le premier du genre — une énumération exhaustive des symboles les plus fréquents des rêves sous la forme d'un lexique.

L'auteur, Hanns Kurth, a consacré plus de quarante ans à l'analyse pratique des rêves. Il a réuni près de 2300 concepts permettant d'expliquer plus de 6000 symboles. Le présent ouvrage est donc un auxiliaire indispensable au psychologue, au psychiatre et au médecin, mais aussi à toute personne désireuse d'en savoir davantage sur soi-même et sur ses rêves.

264 p.                    $12.50

## La nouvelle et puissante œuvre de l'inspiratrice des recherches sur la mort

ELISABETH KÜBLER-ROSS

*la mort*

dernière étape de la croissance

ÉDITIONS QUÉBEC | AMÉRIQUE

## LA MORT

### *Élisabeth Kübler-Ross*

Notre société nie la mort. Nous la cachons derrière des murs stériles à l'hôpital et sous le maquillage au salon funéraire. Mais la mort est inévitable, et il faut trouver comment y faire face. Pourquoi faisons-nous de la mort un tabou? D'où viennent nos peurs? Comment exprimer notre deuil et accepter la mort de nos proches? Comment nous préparer à notre propre mort?

Elisabeth Kübler-Ross tire des réponses à ces questions et à bien d'autres de sa propre expérience et de la comparaison de nos attitudes devant la mort à celles d'autres cultures; elle présente les points de vue variés de ministres, rabbins, médecins, infirmières et sociologues, des rapports de l'expérience personnelle de mourants et de leurs survivants. La mort donne à chacun l'occasion de découvrir le sens de l'existence humaine en l'acceptant comme partie intégrante de la croissance humaine.

Elisabeth Kübler-Ross, psychiatre, fait autorité dans le monde entier sur le sujet de la mort.

224 p. $8.95

## Le voyage psychique d'un grand médium

## Un guide pour développer votre sixième sens

## AU-DELÀ DU HASARD

### *Alex Tanous et Harvey Ardman*

Un des voyants les plus célèbres à l'heure actuelle, Alex Tanous, étonne par la variété et la puissance de ses facultés psychiques.

Ses exploits ne se comptent plus:

*Il prédit avant qu'ils ne se produisent* des événements internationaux ou privés.

*Il accomplit des phénomènes physiques inexplicables*: arrêter des montres ou briser des caméras sans les toucher, projeter des images seulement avec ses yeux.

*Il voyage hors de son corps*, déplaçant ainsi des objets dans d'autres pièces.

228 p.                              $7.95

## L'ART DE LA CLAIRVOYANCE

### *Jean-Baptiste Delacour*

Tout homme rêve de pouvoir se situer hors du temps et de voir ainsi le passé et l'avenir. Pendant longtemps, la science académique nia totalement la clairvoyance, le don de double vue qui permet de se hisser au-delà du temps et de l'espace.

L'une des particularités du livre est qu'il donne des méthodes et propose des épreuves de télépathie et de clairvoyance qui ne sont pas réservées uniquement aux scientifiques mais à tous ceux qui s'intéressent au développement et à l'activation de leurs facultés ESP.

224 pages                           $6.95

## La vie fantastique de deux médiums doués de pouvoirs étonnants

### PETER HURKOS: QUI SUIS-JE?

*Norma Lee Browning*

Aujourd'hui, Peter Hurkos est un médium célèbre, réputé en particulier pour sa collaboration à la solution d'énigmes policières (comme l'étrangleur de Boston et le meurtre de Sharon Tate). Dans ce livre, sorte d'autobiographie sous forme d'interviews recueillies par Norma Lee Browning, Hurkos raconte son mystérieux voyage dans cet « autre monde » et dévoile comment il a acquis ses pouvoirs extraordinaires. Tombé d'une échelle, d'une hauteur de quatre étages, alors qu'il exerçait le métier de peintre en bâtiment, Peter Hurkos reposa quatre jours entre la vie et la mort. Il en sortit transformé et doué de pouvoirs étonnants.

232 p. $8.95

### DR MONTGOMERY: MEDIUM AGENT SECRET

*Clifford L. Linedecker*

Voici l'histoire d'un homme complexe, extraordinaire et attachant, le Dr Ernesto A. Montgomery, espion psychique, voyant, guérisseur, conseiller d'hommes politiques et de vedettes qui a stupéfait les plus incrédules par ses prophéties et ses véritables dons psychiques. Le récit de ses transes psychiques et de ses voyages hors du corps est plus passionnant que le roman le plus fantastique.

Ce livre raconte son histoire passionnante et contient ses prédictions pour l'avenir du monde.

192 p. $7.95

# Pour la santé du corps et de l'esprit

## ALPHAGÉNIQUE
*Dr Anthony A. Zaffuto et Mary Q. Zaffuto*

*Alphagénique* met à votre portée la plus récente et la plus prometteuse des thérapeutiques personnelles. En réglant votre comportement par le contrôle des ondes alpha qu'émet votre cerveau, vous apprendrez à vaincre la tension, l'anxiété, l'insomnie, l'obésité, l'alcoolisme, le tabagisme, vos problèmes sexuels et quantité d'autres difficultés personnelles.
216 p.                                                                $7.95

## GUÉRIR SOI-MÊME
*Kurt Tepperwein*

Tout homme dispose d'un ordinateur parfait: son subconscient. Ce subconscient travaille mieux et plus vite que n'importe quel ordinateur fabriqué par l'homme et est disponible jour et nuit sans qu'il soit nécessaire de dépenser un sou. Malheureusement peu d'hommes exploitent à plus de vingt pour cent les ressources de cet extraordinaire ordinateur. Dans cet ouvrage, Kurt Tepperwein, spécialiste de l'hypnose et «inventeur» de la psychocybernétique, vous ouvre les portes de votre subconscient au moyen de techniques simples, à la portée de tous.

Utilisez votre subconscient et vous obtiendrez santé, succès et bonheur!
$6.95

## LA PUISSANCE DE VOTRE ESPRIT
*Dr H. Schmidhauser*

L'esprit est une immense source d'énergie, un flux puissant qui ne tarit jamais, une force naturelle qui guérit et qui nous permet de vivre pleinement. Et, ce n'est pas par hasard que l'esprit a parrainé toutes les grandes religions du monde et exercé une influence déterminante sur le champ d'étude de la psychologie moderne, de la médecine psychosomatique et de la parapsychologie.

Le Dr Schmidhauser, en guide compétent, vous indique la démarche à suivre pour: acquérir une meilleure concentration — améliorer la mémoire — supprimer inhibitions, stress et complexes — dominer la maladie — vaincre les perturbations dans le rythme de vie et de sommeil — apprendre à regarder et à écouter ce qui se passe à l'intérieur de soi — développer les forces psychiques et même le sixième sens — faire de notre vie une perpétuelle réussite dans la santé et le bonheur.

Se présentant donc comme un manuel de psychologie pratique, à la portée de tous, vous y trouverez, en outre, des exercices simples et originaux de décontraction, de repos, de respiration et de concentration dans le but d'exploiter positivement la puissance de votre esprit.
$6.95

*Des conseils du plus célèbre des médecins*

## ENFANTS ET PARENTS D'AUJOURD'HUI

*Dr Benjamin Spock*

**Son dernier livre s'est vendu à 25 millions d'exemplaires**

Avec ce nouveau best-seller, le Dr Spock propose non pas des recettes, mais des attitudes devant les problèmes cruciaux et controversés d'aujourd'hui, en insistant sur l'infinie diversité des êtres et des situations.

Les grands thèmes développés dans ce livre: la vie familiale, le comportement des enfants, la discipline, la rébellion de l'adolescent, la drogue, le mariage, le divorce, le veuvage, les grands-parents...

Ce livre est complété par un «miniguide» de 16 pages consacré à l'éducation sexuelle chez les enfants et les adolescents.

264 pages                                                    $5.95

## HYPNOTISME ET ESP

*Dr Milan Rýzl*

Vingt années d'expérience relatées dans ce livre démontrent la présence en chaque homme de talents et de pouvoirs habituellement attribués au surnaturel. La perception extra-sensorielle ou ESP, un sixième sens *naturel* qui fait lentement son entrée dans le domaine du connu et de la pratique.

192 p.                                                                        $7.95

## JÉSUS, PHÉNOMÈNE PARAPSYCHOLOGIQUE

*Dr Milan Rýzl*

Des entretiens extra-sensoriels avec Jésus, Moïse, saint Jean-Baptiste et d'autres personnages de l'Ancien et du Nouveau Testament, nous livrant sur leur Vie, leur Oeuvre, un éclairage nouveau et sensationnel.

192 p.                                                                        $7.95

## LES PROPHÉTIES: VÉRITÉ OU MENSONGE?

*Alex Roudène*

L'an 2 000: plus on approche du changement de millésime, plus les visions prophétiques de ce tournant surgissent et fascinent. Avec objectivité, verve et humour, Alex Roudène analyse l'univers captivant des prophéties, aussi bien réalité que fiction...

160 p.                                                                        $5.95

## JOSEPH BALSAMO, alias GAGLIOSTRO

*Raymond Silva*

Couronné par l'Académie française, cet ouvrage respecte et rétablit la vérité historique en retraçant l'existence d'un des personnages les plus extravagants que le monde ait connu. Aujourd'hui encore, sa roublardise et ses dons véritables ne savent laisser indifférent.

224 p.                                                                        $7.95

## EDGAR CAYCE, LE PROPHÈTE

*Jess Stearn*

Mort en 1945, Edgar Cayce avait prédit l'assassinat du président Kennedy. À des milliers de kilomètres de distance, il a guéri des malades que la médecine officielle avait condamnés. L'histoire extraordinaire de ce phénomène, dont les actes même posthumes mystifient depuis deux générations les savants du monde entier.

256 p.                                                                        $7.95

# Des ouvrages intéressants et instructifs

## LES ORIGINES DE LA VIE

### E. L. Orgel

Des fossiles aux extra-terrestres, de l'apparition de la vie sur terre à la possibilité de trouver dans l'univers d'autres sociétés semblables à la nôtre, l'auteur vous convie à une passionnante aventure.
214 p. $7.95

## POUR UNE TERRE VIVABLE

### Jan Tinbergen

Plus qu'un cri d'alarme face à la rupture de l'équilibre écologique, *Pour une terre vivable* propose des solutions concrètes, immédiatement applicables, afin d'échapper à la révolte mondiale ou, pis encore, à la destruction des conditions favorisant la vie sur terre. Un livre indispensable à ceux qui s'intéressent à la lutte de l'homme contre la misère.
200 p. $7.95

## LES VÉRITÉS DE L'ÎLE DE PAQUES

### Maurice et Paulette Déribéré

Deux grands explorateurs présentent dans ce dossier un éclairage nouveau sur les mystères de l'île de Pâques. Un document sérieux, logique et fascinant.
315 p. $8.95

## LA MYSTÉRIEUSE PYRAMIDE DE FALICON

### Henri Broch

Qui a construit cette mystérieuse pyramide ? Henri Broch répond à cette question et à bien d'autres et vous entraîne aux sources de la civilisation des Mayas et à la réouverture du dossier secret de l'Atlantide.
247 p. $7.95

## BERIA, VIE ET MORT DU CHEF DE LA POLICE SECRÈTE SOVIÉTIQUE

### Thaddeus Wittlin

Beria, responsable d'innombrables purges sanglantes et bourreau assassin de milliers de personnes, y compris les membres les plus éminents du Parti communiste, vécut une vie si obscure qu'il fut appelé «l'homme sans histoire».
327 p. $9.95

## Des livres pratiques

---

### 64 MENUS
*Yolande Languirand et Pauline Durand*

Un livre d'une facture originale. Les menus sont partagés en trois groupes: économique, moyen et gastronomique. Chaque recette s'accompagne en marge d'annotations humoristiques, de citations de gourmets et de petits conseils pratiques.
160 p.                                                                    $9.95

### SAUCE QUI VEUT
*Suzanne Colas et Huguette Gaudette*

358 recettes de sauces faciles et économiques pour ceux qui aiment bien manger sans y mettre trop de temps ni d'efforts. La cuisine est affaire d'imagination, disent les auteurs.
228 p.                                                                    $6.95

### LE CHEVAL
### À TOUTES LES SAUCES... ET EN 50 RECETTES
*François Lubrina, Christian et Annie d'Orangeville*

Un livre emballant pour faire découvrir et aimer une viande noble et saine qui, mise à toutes les sauces et préparées en 50 recettes, vous entraînera dans une nouvelle aventure gastronomique.
142 p.                                                                    $4.00

### NOUVEAU GUIDE DU CHIEN
*Dr François Lubrina et Christian d'Orangeville*

Deux amis des bêtes (un médecin-vétérinaire et un zoologue) qui ont la passion des chiens vous expliquent comment bien vivre avec le vôtre. Un guide abondamment illustré, écrit dans un style incisif, amusant et sérieux à la fois, qui a la particularité de traiter le chien comme un personnage responsable, capable du meilleur et du pire...
256 p.                                                                    $6.50

### LE BRUNCH
*Yolande Languirand et Paulien Durand*

Le brunch (mot emprunté à l'anglais pour désigner le repas du dimanche qui tient à la fois du breakfast et du lunch) prend racine chez nous, mais il continue d'embarrasser bien des hôtesses. Les auteurs donnent les règles du brunch et proposent des recettes succulentes, faciles et rapides.
128 p.                                                                    $3.00

Achevé d'imprimer par les travailleurs
des ateliers Marquis Ltée de Montmagny
en octobre 1977